Questions de parents responsables

Révision des textes : Maryse Barbance

**Catalogage avant publication
de la Bibliothèque nationale du Canada**

Dumesnil, François

Questions de parents responsables

(Parents aujourd'hui)

1. Éducation des enfants - Miscellanées.   2. Parents et enfants - Miscellanées.
3. Rôle parental - Miscellanées.   I. Titre.   Collection.

HQ769.D852 2004   649'.1   C2004-940085-1

DISTRIBUTEURS EXCLUSIFS :

• Pour le Canada
et les États-Unis :
MESSAGERIES ADP*
955, rue Amherst
Montréal, Québec
H2L 3K4
Tél. : (514) 523-1182
Télécopieur : (514) 939-0406
* Filiale de Sogides ltée

• Pour la France et les autres pays :
INTERFORUM
Immeuble Paryseine, 3, Allée de la Seine
94854 Ivry Cedex
Tél. : 01 49 59 11 89 91
Télécopieur : 01 49 59 11 96
Commandes : Tél. : 02 38 32 71 00
                Télécopieur : 02 38 32 71 28

• Pour la Suisse :
INTERFORUM SUISSE
Case postale 69 - 1701 Fribourg - Suisse
Tél. : (41-26) 460-80-60
Télécopieur : (41-26) 460-80-68
Internet : www.havas.ch
Email : office@havas.ch
DISTRIBUTION : OLF SA
Z.I. 3, Corminbœuf
Case postale 1061
CH-1701 FRIBOURG
Commandes : Tél. : (41-26) 467-53-33
                Télécopieur : (41-26) 467-54-66
                Email : commande@ofl.ch

• Pour la Belgique et le Luxembourg :
INTERFORUM BENELUX
Boulevard de l'Europe 117
B-1301 Wavre
Tél. : (010) 42-03-20
Télécopieur : (010) 41-20-24
http://www.vups.be
Email : info@vups.be

Pour en savoir davantage sur nos publications,
visitez notre site : **www.edhomme.com**
Autres sites à visiter : www.edjour.com • www.edtypo.com
www.edvlb.com • www.edhexagone.com

Gouvernement du Québec – Programme de crédit d'impôt pour
l'édition de livres – Gestion SODEC – www.sodec.gouv.qc.ca

L'Éditeur bénéficie du soutien de la Société de développement des
entreprises culturelles du Québec pour son programme d'édition.

Nous remercions le Conseil des Arts du Canada de l'aide accordée
à notre programme de publication.

Dépôt légal : 1er trimestre 2004
Bibliothèque nationale du Québec

ISBN 2-7619-1893-2

The Canada Council | Le Conseil des Arts
FOR THE ARTS | DU CANADA
SINCE 1957 | DEPUIS 1957

Nous reconnaissons l'aide financière du gouvernement du Canada
par l'entremise du Programme d'aide au développement de
l'industrie de l'édition (PADIÉ) pour nos activités d'édition.

François Dumesnil

Questions de parents responsables

LES ÉDITIONS DE
L'HOMME

INTRODUCTION

Mener un enfant à terme ne dure pas neuf mois mais dix-huit ans. Voilà le temps dont nous disposons pour faire de lui quelqu'un de bien. Dix-huit années pendant lesquelles notre destin est étroitement lié au sien. Dix-huit années au cours desquelles ses comportements nous interpellent quotidiennement.

Faire le choix de devenir parent, c'est bien sûr s'engager à aimer son enfant. Mais c'est aussi accepter la responsabilité de lui servir de guide tout au long de son développement. Nous avons le mandat de décider en tout temps de ce qui est le plus souhaitable pour lui, et cela n'est pas toujours facile. Il nous faut faire la part des choses entre ce qui est indiqué et ce qui ne l'est pas, en tenant compte de ses besoins d'enfant mais aussi de nos limites de parent. Il ne faut être ni trop sévère, ni trop permissif, ni trop distant, ni trop intrusif. Il faut distinguer l'essentiel de l'accessoire, le fantaisiste du réaliste. Il faut composer avec les pressions sociales, l'influence des amis, les exigences de l'école, les contraintes familiales. Autant de raisons de se sentir perdu à l'occasion.

Nous ne pouvons par ailleurs compter sur notre enfant pour nous aider à nous y retrouver. Les enfants vont là où leurs impulsions les mènent, sans se préoccuper de savoir si c'est pour leur bien. Or l'impulsivité fait rarement bon ménage avec l'adaptation. Ainsi, non seulement il nous faut trouver la meilleure voie pour notre enfant, mais nous devons souvent le faire dans un contexte où son mouvement l'entraîne dans la direction opposée.

Il est malgré tout généralement possible de s'acquitter convenablement de sa tâche en s'en remettant à quelques principes éducatifs empruntés au sens commun. Mais le bon sens a parfois ses limites. Il arrive que ce qui semblait préférable à première vue s'avère ne pas l'être en seconde analyse. La complexité des rapports humains nous commande d'élargir à l'occasion notre perspective afin d'avoir une meilleure vision des choses. C'est dans cet esprit qu'a été réalisé ce livre consacré aux questions que soulève l'éducation des enfants.

Il ne s'agit pas d'une revue exhaustive des problèmes auxquels sont confrontés les parents. Chacune des questions retenues l'a été parce qu'elle permet de poser un regard original sur l'une des multiples facettes du rôle parental. Des solutions pratiques sont proposées, mais elles s'inscrivent dans une compréhension renouvelée de la contribution des parents, qui tranche avec ce qui est véhiculé par les approches éducatives conventionnelles.

Trop souvent, les conseils donnés aux parents font abstraction du fait qu'ils sont des parents. On leur demande de se comporter comme des éducateurs en ignorant le lien qui donne son vrai sens à la relation qu'ils ont avec leur enfant. On ne parle plus d'amour et de respect, mais de «comportements à renforcer» ou d'«habiletés sociales à développer». Être parent ne se réduit pas à exercer une fonction éducative. C'est une expérience relationnelle unique qui demande à être bien comprise pour être bien vécue.

PREMIÈRE PARTIE

À PROPOS DES PARENTS ET DES ENFANTS

■

L'instinct maternel existe-t-il ?

L'instinct maternel existe, mais il ne se situe pas là où on le pense généralement. Il ne se traduit pas, comme on est porté à le croire, par une sorte de savoir inné qui guiderait la mère dans sa relation avec son enfant, justifiant qu'on lui délègue la responsabilité de l'éducation de ce dernier. Ce qui est proprement instinctuel, au sens de «déterminé par l'espèce», c'est l'attraction qu'exerce la maternité sur la plupart des femmes. Le besoin d'enfanter, en tant qu'expérience présentant un caractère vital, est avant tout féminin. C'est ce qui fait que, contrairement à ce que suggère le sens commun, le véritable pendant à l'attraction qu'exercent les femmes sur les hommes n'est pas tant l'attraction qu'exercent les hommes sur les femmes que l'attraction qu'exercent sur elles... les bébés.

Pour s'en convaincre, il suffit de se reporter à l'observation suivante: quand une jolie femme passe devant des hommes, elle crée une effervescence qui ne se compare en rien à ce qu'un homme peut susciter en croisant des femmes. Les hommes sont d'ailleurs souvent montrés du doigt pour le caractère primaire de leurs réactions. Le jugement est injuste parce que leur réactivité tient au fait que la sollicitation instinctuelle est beaucoup plus forte chez eux. Pour être équitable, il faudrait comparer l'effervescence que crée chez les hommes une jolie femme à celle que crée chez les femmes l'arrivée d'un nouveau-né tout emmailloté et souriant dans son landau. Dans un cas comme dans l'autre, l'attraction exercée déclenche une mobilisation quasi irrésistible conduisant à prendre des libertés que rien ne justifie. D'un côté, on émettra un sifflement admiratif, on cherchera à engager la conversation, de l'autre, on voudra toucher au bébé, lui faire des finesses. Ces débordements pourront être accueillis avec une indulgence mêlée de contentement, mais ils pourront aussi être ressentis comme des intrusions indisposantes autant par la jolie femme cavalièrement sifflée que par les parents qui voient leur nourrisson pris d'assaut.

L'espèce a organisé les choses ainsi pour assurer sa survie : la femme exerce un attrait quasi irrépressible sur l'homme, et le bébé produit un effet du même ordre sur la femme. C'est dans cette compréhension du projet humain et social qu'il convient d'inscrire la référence à un instinct pouvant être associé à la maternité.

L'instinct maternel, qui s'accompagne d'une disposition au maternage, agit le temps que le bébé reste un bébé. Dès que le nourrisson, éprouvant le besoin d'affirmer son individualité, commence à émerger comme personne différenciée, la mère ne peut plus compter sur l'espèce pour la soutenir dans son engagement. Elle doit faire un effort actif pour maintenir une disponibilité affective qui ne va plus de soi. Pour ce faire, elle doit miser, de la même façon que le père, sur la qualité de son propre développement et s'en remettre au parent qui vit en elle pour la guider dans l'éducation de son enfant.

Quelle place revient au père dans l'éducation des enfants ?

Plusieurs livres sont consacrés à la place du père dans l'éducation des enfants. Ces ouvrages semblent confirmer qu'il convient vraiment de définir un espace en ce qui concerne la contribution singulière que les hommes peuvent apporter au bon développement de leurs enfants. Le problème n'en est pourtant pas un de place à circonscrire, mais de *place à prendre*.

Ce dont le nouveau-né a besoin, plus que de toute autre chose, c'est de trouver, au-dessus de lui, un regard lucide et sensible[1] qui le guidera avec discernement et affection tout au long de son développement. Ce regard est asexué au sens où il n'est ni maternel ni paternel, mais parental. Et il exige, de la part de celui qui accepte de le dispenser, qu'il assume de ne pas s'appartenir complètement pour être en permanence disponible à l'intention de quelqu'un d'autre que lui-même. En cela réside l'essentiel de la responsabilité parentale.

Historiquement, les pères, moins présents à la maison, se sont contentés d'occuper une place plus périphérique que les mères dans le rapport avec leurs enfants. Encore aujourd'hui, la prédisposition d'une grande partie des femmes pour les activités reliées à la maternité incite de nombreux pères à demeurer en retrait, en marge de l'intimité relationnelle nécessaire pour pouvoir prétendre jouer comme un véritable facteur de développement. Au lieu d'être «branchés» sur le vécu quotidien de leur enfant, ils se cantonnent dans une relation superficielle, se contentant de soutenir au besoin celle qui porte la responsabilité de déterminer à tout moment ce qui est préférable pour l'enfant.

---

1. Voir la question 4.

L'enfant qui grandit dans un tel contexte en vient à percevoir son père comme quelqu'un à la fois de familier, faisant partie de son univers personnel, et d'étranger, existant en dehors de lui. Quant au père, l'expérience paradoxale consistant à incarner en même temps un familier et un étranger peut l'amener à s'interroger sur la nature de sa place dans l'éducation de son enfant.

Bien sûr, certaines femmes accueillent avec complaisance la défection de leur conjoint parce que celle-ci leur donne accès à une exclusivité relationnelle gratifiante. Bien sûr, certains hommes se satisfont avec la même complaisance de leur confinement à un rôle de compagnon de jeu, d'autorité intimidante que l'on sort du placard au besoin ou de simple pourvoyeur, parce que cela les garde de toute vraie responsabilité. Mais il existe aussi des pères qui tiennent à prendre une part active dans l'éducation de leur enfant. Pour eux, il y a une place à prendre: celle de parent.

Quel est le besoin le plus 3 impérieux des enfants?

Contrairement aux petits des animaux qui se satisfont d'«avoir» quelque chose (de la nourriture, du confort, etc.), les petits des humains ont à conjuguer avec un besoin supplémentaire qui domine tous les autres: le besoin d'«être» quelqu'un. La capacité unique dont jouit l'enfant, à partir de dix-huit mois, de disposer d'une image mentale de lui-même fait qu'il ne peut plus se contenter de satisfaire ses besoins physiques. En plus d'alimenter son corps, il ressent aussi la nécessité impérieuse d'alimenter le personnage qui grandit en lui.

De quoi cet *enfant intérieur* se nourrit-il? Il se nourrit du regard des autres. Ce n'est pas pour rien qu'un des mots que l'enfant claironne le plus régulièrement tout au long de son développement est: «Regarde!» L'adulte se doit de regarder chaque nouvelle acquisition, chaque nouvelle prouesse; de regarder courir, sauter, dessiner, bricoler. Que ce soit à la maison, à l'école, dans la rue avec des amis, la préoccupation première de l'enfant est de constituer un pôle d'attraction. Le look qu'il affiche, les gadgets qu'il exhibe, les histoires qu'il raconte, les défis qu'il relève, les exploits qu'il revendique, tout est assujetti à une seule priorité: être reconnu comme un être singulier, exister dans les yeux des autres.

Se référer ainsi à un personnage intérieur intangible qui se nourrit du regard d'autrui a de quoi rendre perplexe. On a l'impression d'une construction abstraite sans correspondance dans la réalité, et dont on ne peut donc que présumer l'existence. Tel n'est pas le cas. Car si l'on ne peut pas toucher à cette entité, on peut néanmoins observer les expressions émotionnelles spécifiques qui émanent d'elle et témoignent hors de tout doute de son existence[2]. L'exemple qui suit devrait permettre de mieux saisir ce dont il est question.

Lorsqu'un reportage en coulisses montre un artiste qui fait les cent pas nerveusement quelques instants avant de monter sur scène, on comprend que ce dernier se sent à l'évidence en grand danger. Mais de quoi a-t-il donc si peur ? Personne ne le bousculera ni ne le frappera. Les gens ne vont que le « regarder ». S'il a si peur en dépit du fait que son intégrité physique n'est pas menacée, c'est qu'il a le sentiment que son intégrité intérieure l'est : ces centaines de regards qui attendent de se poser simultanément sur lui pourraient lui signifier que sa performance est dépourvue de valeur, ce qui porterait gravement atteinte à l'image qu'il a de lui. Il serait bien incapable de nous dire où se localise cette version intérieure de lui-même. Mais elle existe puisqu'il est possible de la blesser. L'expérience est tellement réelle qu'une simple huée pourrait faire fléchir ses jambes aussi sûrement qu'un coup de poing en plein visage.

Nous portons tous en nous un être dont le destin est au cœur de nos préoccupations quotidiennes, et qui détermine souvent nos états d'âme. Lorsque nous sommes déçu de nous-même, cet être se rétracte et nous nous sentons déprimé. Lorsque nous sommes fier de nous, il prend de l'expansion et nous devenons euphorique, et ainsi de suite. Nos fluctuations émotionnelles sont intimement associées à ce qui lui arrive. Et notre équilibre personnel tient pour une bonne part à la manière dont il s'est constitué à l'origine quand, enfant, nous avons levé les yeux vers nos parents pour qu'ils nous donnent vie intérieurement.

Le principal danger qui guette l'enfant est que ses parents ignorent son besoin de devenir quelqu'un parce qu'ils sont trop préoccu-

---

2. De la même façon que lorsqu'on est exposé à de la chaleur, on ne doute pas qu'elle émane d'une source d'énergie, même si on ne perçoit pas celle-ci.

pés par leur propre quête pour être à l'écoute de la sienne. C'est le cas lorsque des parents s'occupent de leur enfant sans avoir la disponibilité affective nécessaire pour le faire vivre en eux. Il en résulte que l'enfant a tout ce qu'il lui faut, mais qu'il n'est personne. Il est condamné à traîner son manque à être pour le reste de son existence.

Au-delà de nos multiples obligations concrètes, nous avons, comme parents, la responsabilité d'aider notre enfant à se «construire», à développer une consistance intérieure. D'abord en lui permettant d'acquérir une valeur, par la qualité de notre encadrement. Ensuite en reconnaissant cette valeur, par la qualité de notre regard.

4 Quelles sont les qualités d'un bon parent?

Mettre un enfant au monde permet à un homme et à une femme de devenir père et mère. Mais cela ne fait pas pour autant d'eux des parents. Pour prétendre être un parent, il faut pouvoir jouer un rôle actif dans le développement de son enfant; il faut être en mesure de lui permettre de se construire intérieurement. Cela exige plus que de répondre à ses besoins de base.

Le plus grand besoin d'un enfant est d'acquérir une identité personnelle, de devenir quelqu'un. Pour cela, il a besoin que ses parents lui fassent sentir avec tendresse qu'il a une valeur, et l'orientent de manière qu'il incarne cette valeur dans la réalité de tous les jours.

L'adulte dispose en principe de deux aptitudes que les enfants n'ont pas: face au besoin absolu dans lequel se trouve l'enfant d'être un centre d'intérêt, l'adulte a la capacité de se décentrer de lui-même pour entourer l'enfant sur le plan affectif; de plus, face à la totale incapacité de l'enfant à voir plus loin que le besoin du moment, l'adulte a la faculté de mettre la réalité en perspective pour déterminer ce qui est le plus approprié dans une situation donnée: il est censé être quelqu'un de lucide et de sensible.

Pour bien se développer, l'enfant doit en permanence avoir accès à ce regard lucide et sensible, partie prenante de tout ce qu'il vit, mais ayant le recul nécessaire pour l'aider à tirer profit de ses expériences. C'est la combinaison de cette capacité d'être à l'écoute de l'enfant et d'un discernement propre à bien le guider qui fait d'une personne un bon parent. Ce ne sont malheureusement pas des qualités que l'on acquiert uniquement avec l'expérience, comme certains le croient. Elles sont avant tout l'aboutissement naturel d'un bon développement personnel.

Il n'est pas facile de nous décentrer de nous-même quand nous passons le plus clair de notre vie à essayer de combler un vide intérieur. C'est le cas lorsque les promenades en famille ne sont que des prétextes pour engager d'interminables conversations avec les voisins; lorsqu'au moment de prendre notre enfant à la garderie, nous nous préoccupons davantage de l'impression que nous laisserons à l'éducatrice que de la qualité de la journée que notre enfant a passée; lorsque après nous être nourri des disputes du bureau, nous vivons dans l'attente du téléroman, de la série ou du film qui nous permettront de faire l'expérience fugitive que nous sommes vivant; ou lorsque après avoir passé la semaine à nous réaliser au travail, nous nous précipitons au terrain de golf pour prouver une fois de plus que nous sommes quelqu'un.

Il n'est pas non plus aisé d'aider l'enfant à agir avec discernement quand nous sommes le jouet de nos propres émotions. C'est ce qui se passe lorsque l'humeur du moment tient lieu de ce qui est bien ou mal; quand nos besoins déterminent notre vision des choses – lorsque, par exemple, nous nous montrons intolérant face aux échecs de notre enfant parce que nous misons sur lui pour nous grandir, ou indulgent face à ses écarts parce que nous avons peur de nous aliéner son affection; quand nous ne pouvons l'amener à voir plus loin que là où le porte sa peine ou son ressentiment, parce que nous nous associons trop étroitement à ce qu'il ressent; ou quand nous ne trouvons rien de mieux à opposer à ses crises d'enfant gâté que nos crises de parent ulcéré.

Personne ne peut prétendre être dépourvu de besoins et de passions. Nous avons tous un enfant en nous, qui veut affirmer son existence et exprimer ses états d'âme. Mais nous portons aussi un parent dont le mandat est de prendre soin de l'enfant qui vit en nous, comme de ceux auxquels nous donnerons éventuellement le jour. C'est ce parent qui, en nous rendant fier de nous-même, nous affranchit de notre dépendance par rapport au regard des autres. C'est aussi lui qui nous fait comprendre qu'il est préférable de faire face aux difficultés plutôt que de les fuir quand nous serions tenté de le faire. C'est enfin lui qui prend soin de nous quand, malmené par la vie, nous faisons le choix de nous retrouver seul avec nous-même.

Être un adulte achevé, c'est disposer d'un regard sur soi qui rend capable de prendre en main sa destinée et celle des personnes qui gravitent dans son univers personnel. En ce sens, s'il est vrai qu'il est possible de mettre un enfant au monde sans pour autant être un parent, il est aussi vrai qu'il n'est pas nécessaire de mettre un enfant au monde pour se sentir parent.

Dans quelle mesure déterminons-nous 5
ce que deviendra notre enfant ?

O n est de plus en plus porté à s'en remettre aux gènes pour expliquer les problèmes de santé mentale. Il existerait un gène de la dépression, un gène de la schizophrénie, un gène de l'alcoolisme, un gène de l'hyperactivité, un gène de la violence. Et pourquoi pas, dans la même foulée, un «gène du jeu compulsif», un autre de la dépendance affective, voire un gène de la paresse?!

Bien que ne s'appuyant sur aucune certitude scientifique, cette tendance grandissante à se référer directement aux gènes pour rendre compte de tous les problèmes existants finit par convaincre les parents qu'ils n'ont qu'un rôle de soutien puisque, pour l'essentiel, tout est joué d'avance. C'est une perspective réductrice qui fait le bonheur des chercheurs mais ne correspond pas à ce que l'on observe dans la réalité.

Les enfants sont ce que nous en faisons. La nature a certes un rôle important à jouer. Elle décide pour une bonne part du tempérament, des affinités, des goûts, des intérêts, des dispositions, des aptitudes, voire des aspirations. Mais elle ne détermine ni la qualité humaine de l'être ni sa capacité d'être heureux. Au-delà des caractères de base que lui lègue son hérédité, l'enfant est un être qui doit se construire et le parent est le mieux placé pour l'aider.

On pourrait ici prendre le contre-pied de cette position et soutenir que, si l'enfant est perméable aux influences du milieu, il est déterminé non seulement par ses parents, mais aussi par les amis, l'école, la télévision, la publicité et la société en général. Ces influences existent effectivement. Elles restent toutefois superficielles pour peu que l'enfant se trouve sous le regard concerné d'un parent qui demeure solidement arrimé à son expérience et agit à la manière d'un sas placé entre lui et le reste du monde. Plus le parent est présent, plus les autres influences seront relatives ; plus il est absent, plus l'enfant sera réceptif à ces influences.

Si nous comparons entre eux les enfants d'une même famille dont les parents ont pu bénéficier des conditions leur permettant de tenir leur position adéquatement et avec constance, un premier coup d'œil nous donne l'impression que ces enfants sont complètement différents les uns des autres, tant leurs caractères divergent. Mais en y regardant de plus près, nous nous rendons compte que, par-delà les différences de surface, ils ont en commun trois caractéristiques fondamentales qui attestent de leur santé mentale et les immunisent contre les désordres affectifs de tout genre : ils sont bien dans leur peau ; ils sont capables de se réaliser à la mesure de leur potentiel ; et ils entretiennent des rapports harmonieux avec les gens qui les entourent.

Pourquoi un seul enfant de la famille 6
pose-t-il des problèmes?

La question se pose en effet : s'il est vrai que les parents jouent un si grand rôle dans l'éducation de leurs enfants, comment se fait-il qu'ils n'éprouvent souvent de difficultés qu'avec un seul de leurs enfants ? «Nous n'avons aucun problème avec les autres», ajoutent-ils en guise d'objection. C'est là une remarque qu'ils font régulièrement lorsqu'ils sont appelés à remettre en question certaines de leurs attitudes. Leur raisonnement est simple : s'ils élèvent tous leurs enfants de la même manière et qu'ils ont des problèmes avec un seul d'entre eux, il faut chercher ailleurs qu'en eux-mêmes la cause de ces problèmes. Cela paraît logique. Pourtant, cette argumentation, telle qu'elle est énoncée, comporte deux erreurs de perspective.

D'abord, nous élevons rarement tous nos enfants de la même manière. Nous pouvons nous appuyer sur les mêmes principes éducatifs pour chacun d'eux. Mais l'état d'esprit dans lequel nous appliquons ces principes varie largement selon les situations et peut avoir un impact décisif sur l'équilibre personnel de l'enfant. Nous décidons ainsi de ce que nous envisageons de faire, non de ce qui se passera en situation. Les conditions de vie dans lesquelles nous nous trouvons, l'étape que nous avons atteinte dans notre cheminement personnel, l'évolution de notre situation professionnelle, le type d'enfant auquel nous sommes confronté, son rang dans la famille, son sexe même, sont autant de facteurs de nature à influer significativement sur la disposition affective d'un parent et à l'entraîner dans des chemins où il est susceptible de perdre pied sur le plan émotionnel.

Il n'est pas dit que le parent placé en déséquilibre trébuchera automatiquement. Il se peut qu'il transcende la difficulté et parvienne ainsi à préserver l'essentiel chez son enfant. Mais il est aussi possible qu'il n'en soit pas capable. En conséquence, il se trouvera dans l'impossibilité de tenir sa position adéquatement face à cet enfant-là, sans avoir pour autant dérogé à ses règles d'éducation.

Par ailleurs, ce n'est pas parce que nous n'avons pas de problèmes avec un enfant que l'enfant n'a pas de problèmes. Nous ne déterminons pas le degré de santé mentale à partir des problèmes qu'un enfant *cause*, mais à partir de ceux qu'il *éprouve*. Or, il peut arriver que des enfants connaissent des difficultés importantes sans que celles-ci soient suffisamment dérangeantes pour être identifiées. L'enfant qui met une classe sens dessus dessous sera plus aisément remarqué que celui qui éprouve de la difficulté à s'y faire une place. Il ne s'agit pas ici de suggérer que l'identification d'un problème chez un enfant signifie que toute sa famille est perturbée, mais simplement que l'absence de troubles flagrants chez un enfant ne dispense pas automatiquement de questionner la relation avec les parents.

Il n'y a rien d'anormal à ce qu'un parent ait le réflexe de se justifier quand il se sent mis en cause par les difficultés qu'éprouve un de ses enfants ; à plus forte raison s'il croit pouvoir se référer à l'équilibre relatif de ses autres enfants. Mais ce n'est pas la meilleure attitude. Il est toujours préférable d'explorer toutes les voies, y compris celles qui concernent la relation spécifique qui unit *ce* parent et *cet* enfant, de manière à avoir le regard le plus complet possible sur la situation. Se fermer à toute remise en question, c'est certainement priver l'enfant de sa plus grande chance d'évoluer.

Est-il important qu'un enfant soit élevé par ses deux parents ?

Il est préférable que les deux parents s'impliquent (ensemble ou séparément) dans l'éducation de leurs enfants, mais ce n'est pas essentiel. Ce dont un enfant a le plus besoin, c'est de se trouver en permanence sous la responsabilité d'une personne habilitée à l'élever adéquatement.

Certains manuels de psychologie soutiennent que l'enfant a besoin de ses deux parents pour bien se développer, leur présence convergente étant nécessaire pour que s'opère la triangulation relationnelle qui contribue à faire de l'enfant un être différencié. La thèse soutenue est que le père permet à l'enfant de sortir de la relation fusionnelle qui l'unit à sa mère et d'entrer dans un univers affectif plus large, en l'occurrence triangulé. En s'interposant entre la mère et l'enfant, le père amènerait ce dernier à se percevoir comme un être séparé doté d'une individualité propre.

Il est vrai qu'un attachement exclusif entre une mère et son enfant peut nuire à l'établissement, par le nourrisson, de ses frontières personnelles. Mais cela ne se produit que dans le cas où la mère présente une disposition morbide à se couper du monde avec son enfant et à s'enfermer dans une relation duelle dont tous les autres sont exclus, y compris le père. La plupart des mères incitent naturellement leur enfant à s'ouvrir à de nouveaux attachements en le confiant à d'autres adultes. Elles le mettent par ailleurs spontanément en face de la réalité qu'il occupe une place relative dans leurs vies, du fait qu'elles ont d'autres objets d'affection, que le père soit présent ou non. La présence et l'implication de celui-ci peuvent favoriser le processus, mais elles ne sont pas indispensables. C'est davantage l'aptitude de la femme à prendre du recul face à sa condition de mère, bien plus que celle de l'homme à s'investir dans sa condition de père, qui détermine le cours des choses.

L'autre argument souvent invoqué pour rendre compte de l'importance pour l'enfant d'être élevé par ses deux parents est que ceux-ci ont des rôles complémentaires à jouer dans la constitution de son identité. L'enfant trouve dans le parent du même sexe un modèle qui lui permet de se définir comme être sexué, et il cherche dans les yeux du parent de l'autre sexe la confirmation de sa condition d'être sexué[3].

De ce point de vue aussi, il va de soi que l'implication des deux parents est souhaitable. Mais l'absence du parent de même sexe peut être en partie compensée par la multitude des autres modèles auxquels l'enfant a accès au cours de son développement (professeur, instructeur, idole sportive ou artistique, héros d'aventure, etc.). Quant à l'absence du parent de l'autre sexe, elle ne constitue pas un obstacle significatif à l'instauration de la complémentarité sexuelle qui est largement déterminée par les impératifs de l'espèce.

Ce dont l'enfant ne peut se passer, c'est d'un regard sensible et vigilant qui le guide avec affection jusqu'au terme de son développement. Tant mieux si ce regard est assuré conjointement par deux personnes qui l'enrichissent de leur singularité sexuelle. Mais ce n'est pas une condition indispensable à l'atteinte d'un bon équilibre personnel. En matière de santé mentale, c'est la qualité humaine des individus qui joue le plus grand rôle. Plus que d'un père et d'une mère, c'est d'un parent dont l'enfant a d'abord besoin.

---

3. Voir la question 26.

Les couples ne devraient-ils pas faire plus d'efforts pour éviter de se séparer dès les premières difficultés?

Il faut veiller à ne pas porter un jugement trop sévère sur les familles d'aujourd'hui. Si certains individus mettent aisément leurs besoins personnels au premier plan sans se soucier des conséquences de leur attitude sur leurs enfants, d'autres se préoccupent suffisamment de ces derniers pour repousser l'échéance d'une éventuelle séparation, en dépit du caractère éprouvant pour eux de la détérioration de leur vie de couple. Le contact quotidien avec des personnes confrontées à ce genre de dilemme permet de constater que la perspective de soumettre les enfants à l'épreuve d'une rupture n'est pas toujours considérée avec la légèreté que suggèrent les statistiques.

Il est évidemment souhaitable que les enfants aient l'occasion de grandir entre leurs deux parents dans un contexte de stabilité affective et de normalité sociale, particulièrement quand ils sont jeunes et vulnérables. Les couples doivent donc chercher à préserver l'unité familiale le plus longtemps possible — dans la mesure où, cependant, ce qu'ils font vivre aux enfants n'est pas pire que ce qu'ils leur épargnent. Il arrive que les tensions issues des incompatibilités entre les conjoints minent le climat familial à un point tel que les enfants s'en trouvent affectés plus qu'ils ne l'auraient été par une séparation.

Prenons l'exemple des familles d'autrefois. Les parents ne se séparaient pas. La situation des enfants n'était pourtant pas véritablement meilleure si l'on en juge par ce que beaucoup d'entre eux rapportent avoir vécu. Leur condition paraît même avoir parfois été plus dommageable que celle des enfants d'aujourd'hui. Pourquoi? Parce qu'à cette époque où les contraintes socioreligieuses empêchaient la dissolution des unions, les familles n'explosaient pas, elles implosaient. La violence émotionnelle, imperceptible socialement, faisait ses ravages en vase clos. Les familles demeuraient en apparence intactes, pendant que s'y perpétuaient des inimitiés qui en érodaient la qualité affective. La séparation a au moins le mérite de permettre, dans certains cas, l'accession à un meilleur équilibre personnel favorisant une disponibilité affective renouvelée qui compense en partie pour les préjudices causés.

Le problème des familles d'aujourd'hui n'est pas que les couples ne réfléchissent pas assez avant de prendre la décision de se séparer ; il est qu'ils ne réfléchissent pas suffisamment avant de prendre celle d'avoir des enfants. Peu de gens s'interrogent sérieusement sur la valeur de leur engagement de couple avant d'avoir un premier enfant. La tendance la plus répandue consiste plutôt à faire taire en soi tout ce qui pourrait dissuader d'en avoir.

La peur de ne pas être mère conduit encore beaucoup de femmes à se contenter d'un accord obtenu à l'arraché pour mettre à exécution leur projet d'enfant. Et nombre d'hommes sont encore trop centrés sur la satisfaction de leurs besoins immédiats pour mesurer les conséquences à long terme de leur attitude complaisante. Une fois l'enfant mis au monde, la femme reproche à l'homme de ne pas assumer une responsabilité qu'elle le savait, au fond d'elle-même, incapable de prendre. Et l'homme reproche à la femme de l'avoir contraint à prendre une responsabilité qu'il sait, au fond de lui-même, avoir délibérément acceptée.

Même lorsque les partenaires partagent le désir d'avoir des enfants, il ne va pas de soi qu'ils soient engagés dans une relation suffisamment durable pour les élever ensemble. Le plus grand obstacle à la longévité des couples est la précocité de leur formation. La pression sociale et les impératifs biologiques nous incitent à fonder des familles avant même de savoir qui nous sommes et ce que nous attendons d'une vie à deux. La réponse à ces questions arrive souvent trop tard, lorsque les enfants sont déjà bien installés dans notre vie. Leur présence nous oblige alors à constater, souvent avec douleur, qu'ils sont un frein à notre épanouissement au lieu d'en constituer un moteur comme nous l'avions imaginé.

Le problème de l'éclatement des familles existait bien avant que la mode soit à la séparation et était tout aussi préjudiciable aux enfants qu'il l'est aujourd'hui. La solution réside plutôt dans un questionnement préalable du couple sur la solidité du lien qui l'unit, que dans des tentatives d'harmoniser après coup ce qui ne peut plus l'être.

9 Peut-on éprouver du plaisir à élever ses enfants?

On peut certainement vivre de bons moments quand on élève un enfant, mais élever un enfant ne constitue pas en soi une expérience plaisante. Il existe une lourdeur inhérente à la responsabilité parentale, qui tient à la nécessité où le parent se trouve de se décentrer en permanence de lui-même dès qu'il est en présence de son enfant, afin de voir la réalité à travers les yeux de celui-ci et de l'aménager de façon qu'elle s'adapte à ses besoins.

Une sortie au cinéma est considérée comme réussie si notre enfant a aimé le film, comme ratée s'il l'a trouvé ennuyeux, peu importe ce que nous-même en avons pensé. Une sortie au restaurant est vécue comme un succès si nous avons pu gérer la situation de manière que notre enfant tolère bien l'attente et passe globalement un bon moment sans gâcher le plaisir des gens qui l'entourent, quelle qu'ait été la qualité du menu. Une sortie chez les grands-parents est qualifiée de réussite si les enfants ont été suffisamment gratifiés par l'intérêt qu'ils suscitent tout en se montrant suffisamment gratifiants par la joie de vivre qu'ils dégagent, peu importe le degré d'épuisement auquel conduit la préoccupation constante, chez le parent, de maintenir un climat agréable pour les uns et les autres.

Il en va de même pour toutes les activités réalisées en compagnie d'un enfant, même la plus anodine. On joue à se cacher, il faut s'assurer d'être assez bien dissimulé pour que ce soit stimulant sans être décourageant. On chahute, il faut prendre soin de maintenir la démarcation entre l'excitation et la désorganisation. On part à bicyclette, il faut s'ajuster à la vitesse de l'enfant, tenir compte de son endurance, choisir un parcours qui présente un intérêt pour lui.

Chaque moment passé avec un enfant, même ceux qui sont spécifiquement consacrés au plaisir, comporte ainsi une dimension contraignante qui en altère le caractère plaisant. La vigilance à laquelle est tenu le parent lui interdit d'être tout à sa propre expérience. C'est ce qui explique que, même au plus fort des moments de grande jubilation familiale, le parent ressente clairement qu'une partie de lui-même demeure solidement ancrée dans la réalité et l'empêche d'accéder à la légèreté indispensable au plaisir.

Il arrive qu'un jeune parent raconte à qui veut l'entendre à quel point il est «trippant» d'avoir un enfant. En y regardant de plus près, on remarque alors souvent que s'il paraît si dégagé, c'est que l'autre parent assume en permanence la position de responsabilité et supporte seul la lourdeur qui y est associée. Mais ce dernier peut se consoler, car si le chemin qu'il a choisi d'emprunter n'est pas celui qui permet d'avoir le plus de plaisir, il est celui qui permet d'éprouver les plus grandes satisfactions.

10 Doit-on souhaiter être l'ami de son enfant?

L e développement d'un rapport amical avec un enfant s'inscrit dans la recherche d'une plus grande proximité affective. On veut abattre les frontières, abolir les hiérarchies de manière à pouvoir vivre des expériences communes, se confier l'un à l'autre. Une expression concrète de cette volonté consiste à se désigner mutuellement par son prénom. Il n'y a plus de mère et de père, il y a Marie et Pierre.

Les partisans de ce type de rapports sont souvent des personnes qui ont souffert de la trop grande distance qui les séparait de leurs propres parents. Ayant eu des parents froids et autoritaires, ils en ont généralement conclu que la froideur émane de l'autorité, et qu'une relation chaleureuse suppose un rapport d'égal à égal. C'est une conclusion hâtive. Leurs parents étaient froids et se servaient sans doute de leur position d'autorité pour maintenir leurs enfants à distance. Mais l'on n'est pas automatiquement froid parce que l'on est autoritaire. Cette erreur de jugement porte à conséquence parce que c'est elle qui pousse le parent à vouloir être l'ami de son enfant afin de s'en rapprocher. Or, devenir l'ami de son enfant éloignera le parent de celui-ci plus qu'il ne l'en rapprochera.

De fait, aussi proche que puisse être un ami, il demeure toujours quelqu'un d'autre, qui a son identité, ses aspirations, et dont la priorité est de prendre soin de lui-même. Ce n'est pas le cas d'un parent. Lorsque l'enfant lève les yeux vers ses parents, il ne voit pas Pierre et Marie, il voit papa et maman, deux personnes qui, dans la mesure où il est concerné, n'ont pas d'identité propre et n'existent que pour et par lui.

L'enfant ne veut pas savoir qui sont ses parents. Il n'est intéressé ni par leurs états d'âme ni par leurs préoccupations. Il ne veut pas être mis face à la réalité qu'ils sont autres que ce qu'il imagine. C'est ce qui lui permet d'établir l'intimité nécessaire à son cheminement vers la maturité. Il se place sous le regard du parent et a l'impression de ne faire qu'un avec ce dernier, de former avec lui un être complet. Il vit, disposant d'un regard qui donne du sens à ce qu'il vit et qui le guide pour qu'il le vive bien.

À partir du moment où un parent opte pour mettre en jeu sa propre expérience devant son enfant, ainsi que le ferait un ami, il fait entrer en scène l'enfant qu'il a été et qui continue de l'habiter ; or, cet enfant va s'interposer entre le parent qu'il est devenu, dans la réalité autant que dans son imaginaire, et l'enfant en chair et en os qui lui fait face. Il n'est plus papa ou maman, il est Pierre ou il est Marie, une personne distincte et différente avec laquelle l'enfant doit compter, mais sur laquelle il ne peut plus compter. Dans un tel contexte, l'enfant ne peut plus s'abandonner de manière absolue. Il doit s'en remettre au parent embryonnaire qu'il porte en lui pour savoir ce qui est préférable, parce que ce parent est le seul disponible ; et il doit aussi tenir compte de la vulnérabilité du parent redevenu enfant qui se tient devant lui. L'intimité n'est plus possible. Au bout du compte, l'enfant ressemble à un individu devenu précocement mature ; mais il est en fait perpétuellement tourmenté parce que son parent intérieur ne repose pas sur des fondations solides, et qu'en plus il doit s'occuper de l'enfant qui s'exprime chez son parent-ami.

Un enfant peut et doit même savoir que son parent porte toujours en lui l'enfant qu'il a été, et il doit en tenir compte. Mais il n'a pas à y être exposé directement. Nous pouvons dire à un enfant que nous avons des soucis ou que nous sommes souffrant et que nous ne sommes pas en mesure de lui offrir la disponibilité habituelle. Mais nous n'avons pas à lui faire porter le poids de nos ennuis ou à l'exposer à notre détresse.

Un enfant ne doit pas vivre avec nous les expériences de la même façon qu'il les vivrait avec un ami. Il a besoin de vivre ses expériences sous notre regard. Même lorsque nous sommes son adversaire à l'occasion d'un jeu, il sait que nous ne sommes pas partie prenante dans la confrontation et que c'est de le voir gagner qui nous fait le plus plaisir, ce qui est difficilement concevable avec un ami.

Quant à l'incontournable position d'autorité évoquée précédemment, si elle est tenue par une personne sensible aux besoins de son enfant et concernée par son bien-être, elle sera ressentie comme enveloppante, non comme opprimante.

Être parent d'un enfant est une expérience relationnelle unique qui se distingue de toutes les autres par l'exceptionnelle proximité affective qu'elle permet. Nous le ressentons intensément lorsque notre enfant nous appelle pour la première fois «papa» ou «maman», ce nom que seule son existence nous donne le droit de porter. Nous ne pouvons l'entendre sans être profondément touché par la vulnérabilité du petit être qui le prononce et, en même temps, troublé par l'immense responsabilité dont nous nous trouvons investi lorsque nous cessons de nous appartenir pour être effectivement «papa» et «maman».

Est-il possible de trop aimer ses enfants ?

Certains le suggèrent. En fait, nous ne risquons pas de trop aimer nos enfants si l'amour que nous leur portons est un amour parental, mais ce n'est pas toujours le cas. Il existe deux façons d'aimer une autre personne : nous pouvons l'aimer à la manière d'un enfant ; et nous pouvons l'aimer à la manière d'un parent. Dans le premier cas, l'amour est l'expression d'un besoin, dans le second, il est l'expression d'une disponibilité. Cela fait toute la différence.

L'amour comme expression d'un besoin est le plus répandu. Nous disons que nous aimons l'autre pour exprimer le fait que sa présence nous fait du bien parce qu'elle comble un manque intérieur. Nous pouvons bien sûr nous sentir concerné par ce qui lui arrive, mais notre intérêt premier réside dans ce qu'il nous apporte et dans ce que nous attendons de lui. Nous l'aimons tant que nous recevons de lui. C'est ce qui fonde avant tout notre attachement. La passion amoureuse est la meilleure illustration de ce type d'amour. Les excès auxquels elle peut conduire en témoignent : lorsqu'une personne en tue une autre « par amour », ce n'est certainement pas le bien-être de cette dernière qui est au cœur de ses préoccupations.

Dans sa version la plus évoluée, l'amour est l'expression d'une disponibilité. L'attachement est moins viscéral parce qu'il n'est pas associé à un sentiment de manque. Nous sommes sensible à ce qui arrive à l'autre et nous voulons ce qui est le mieux pour lui parce que nous lui reconnaissons une valeur. Mais nous ne sommes pas en position d'attente face à lui. Attention ! Disant cela, nous ne parlons pas de l'amour mystique, de nature universelle, produit par l'utopie religieuse, mais d'un amour incarné fondé sur la reconnaissance de la qualité humaine avérée, ou en devenir, de celui ou celle que nous aimons, reconnaissance qui s'exprime par de l'affection.

Comme nous portons tous en nous un parent et un enfant, notre façon d'aimer procède de l'un et de l'autre. Le dosage varie selon les personnes. Une relation amoureuse saine est une relation au sein de laquelle chacun a besoin de l'autre, mais est aussi capable de reconnaître sa valeur et de lui témoigner de l'affection. Un équilibre se fait entre la passion que nous éprouvons pour l'autre et la considération que nous lui exprimons. Plus l'écart est important entre le besoin que chacun ressent et l'affection que chacun donne, plus nous nous éloignons de cet équilibre. Et plus la polarisation s'accentue, plus nous nous rapprochons de la relation parent-enfant.

Pour un enfant, aimer son parent c'est d'abord avoir besoin de lui. Pour un parent, aimer son enfant c'est d'abord être disponible pour répondre à ce besoin. Plus l'enfant est jeune, plus son besoin d'être aimé, considéré, entouré est absolu et plus le parent est sollicité en ce sens. Plus il vieillit, plus son besoin devient relatif et moins le parent est sollicité sur le plan affectif, sans que cela pose problème. Le parent, un peu comme le soleil qui ne court pas après les planètes pour les réchauffer, aime les êtres qui gravitent autour de lui sans pour autant les poursuivre lorsqu'ils s'éloignent de son orbite. Un parent qui aime de cette façon ne peut pas « trop aimer ».

Les dérapages surviennent lorsqu'un parent est à ce point dominé par ses propres besoins qu'il ne peut avoir la disponibilité intérieure pour aimer son enfant à la manière d'un parent. Ce qu'il fait pour son enfant est motivé par son propre besoin d'être avec son enfant, et non par le besoin de ce dernier d'être avec son parent. Cette complémentarité illusoire n'apparaît pas trop au cours des premières années, quand les besoins de l'un et de l'autre se confondent. Mais lorsque l'enfant grandit et prend ses distances, le parent se retrouve placé devant sa condition de manque et cherche à perpétuer une proximité relationnelle que plus rien ne justifie. Il continue à vouloir couvrir son enfant d'amour alors que celui-ci n'en ressent plus vraiment le besoin. Ce que le jeune éprouve alors comme un trop-plein d'affection de la part du parent, c'est l'enfant qui, à l'intérieur du parent, crie son besoin d'être aimé.

L'affection véritable que nous portons à un enfant est la plus belle expression de l'amour parce qu'elle est sans attente. Nous voulons ce qu'il y a de mieux pour notre enfant mais n'avons pas besoin de lui. C'est pour cette raison que nous pouvons le voir s'éloigner sereinement quand, ayant fait le plein de tendresse, il se sent prêt à prendre le large.

12 Que peut-on attendre d'un enfant ?

On pourrait s'attendre à ce que la réponse soit «Rien», dans la mesure où l'absence d'attente est justement ce qui caractérise l'amour parental[4]. L'affection portée à un enfant est la seule expression de l'amour qui soit dépourvue d'attente précise parce qu'elle est l'expression d'une disponibilité et non d'un besoin. Mais ce n'est pas parce que nous n'avons pas besoin d'être payé de retour pour ce que nous donnons à notre enfant que ce dernier n'a pas d'obligations en ce sens. Tout enfant est tenu de témoigner à ses parents un respect et une gratitude à la mesure de ce qu'il reçoit. Non parce qu'ils en ont besoin, mais parce que c'est ainsi que les choses doivent être.

L'importance du *respect* ne devrait pas être trop difficile à établir. Le respect est au fondement de toute relation parce qu'il fournit un appui essentiel à notre sentiment d'intégrité. Il témoigne de la reconnaissance, par l'autre, que nous avons une valeur dont il tient compte. Ce n'est pas quelque chose que nous demandons mais que nous exigeons. Quiconque nous manque de respect devrait être exclu de notre champ relationnel. Le problème avec les enfants est qu'ils ont trop besoin de nous pour que nous puissions les mettre de côté. La seule option qui nous reste est de les obliger à nous traiter avec considération. Si des autres nous l'exigeons, à eux nous l'imposons, et sans attendre qu'ils soient en âge d'en comprendre toutes les implications. Nous commençons à les sensibiliser à l'importance de s'adresser à nous adéquatement dès qu'ils sont en âge de le faire.

Il est difficile d'espérer voir émerger le respect chez un enfant si on ne l'y contraint pas. Lorsqu'une personne tolère le manque de res-

---

4. Voir la question 11.

pect, c'est qu'elle a peu d'estime pour elle-même. Or, une faible estime de soi n'incite pas les gens à nous traiter avec considération. Voilà pourquoi certains parents semblent «condamnés» à revendiquer le respect: c'est qu'ils sont incapables de le susciter.

Si exiger le respect peut être difficile, exiger la *gratitude* l'est à certains égards encore plus. Manifester sa gratitude, c'est avoir des attentions, chercher à faire plaisir. Ce sont là des attitudes spontanées dont on voit mal comment elles peuvent être imposées. Aussi, lorsque la gratitude intervient, la sensibilité des parents est mise en cause. Leur jugement peut s'en trouver faussé.

Prenons le cas d'un garçon ne faisant aucun effort pour souligner convenablement l'anniversaire de sa mère. Si cette dernière est trop envahie par sa détresse d'enfant en mal d'amour, elle risque de perdre de vue qu'elle est aussi un parent qui a pour mandat de ne pas tolérer que son enfant se montre ingrat envers qui que ce soit, y compris elle-même.

Il existe une différence entre ressentir le besoin que notre enfant nous manifeste de la gratitude et considérer qu'il doit le faire. L'enfant qui vit en nous ne peut que souhaiter la gratitude. Le parent, lui, est en droit de l'*exiger*. Ainsi, c'est lorsque nos attentes sont infantiles que nous nous trouvons le plus démuni devant l'ingratitude d'un enfant. Dans cet esprit, notre anniversaire devrait constituer une occasion privilégiée non pas tant de recevoir de l'amour, mais de nous assurer que notre enfant est capable d'en donner. Et si nos attentes sont déçues, nous serons en droit d'être malheureux non pas parce que nous ne nous sentons pas aimé, mais parce que nous n'avons pas réussi à faire de notre enfant un être aimant.

Ainsi, non seulement un parent peut attendre de son enfant qu'il lui manifeste respect et gratitude, mais il ne doit pas accepter qu'il en soit autrement. Le respect, le parent est tenu de l'imposer quitte à sanctionner les écarts, quelle que soit la situation. La gratitude, il est en droit de l'exiger, quitte à exclure de son univers affectif l'enfant qui se montre incapable d'en exprimer.

13 Dans quelle mesure devons-nous nous oublier pour nos enfants?

S'il existe des parents dont la priorité est de satisfaire leurs besoins, il en est d'autres qui ont tendance à trop les négliger. Un excès d'abnégation peut s'avérer néfaste non seulement pour le parent, mais aussi pour ses enfants. Lorsqu'un parent s'affaire auprès des enfants qu'il a mis au monde, il ne doit pas perdre de vue qu'il a un autre enfant à sa charge: celui qui vit en lui, qui a besoin qu'on s'occupe de lui et dont il est le seul à pouvoir prendre soin. Les attentes de cet enfant-là sont sans doute moins grandes que celles des enfants qu'il a devant lui, mais elles existent et doivent être prises en compte. Trop en faire abstraction, c'est mettre son équilibre émotionnel en danger.

Le parent qui s'acharne à ne rien faire qui pourrait pénaliser un tant soit peu ses enfants, même quand il est fatigué, éprouvé, voire malade, s'inflige une souffrance qui réduit de beaucoup sa disponibilité affective. Il en va de même pour le parent qui s'étiole au fil d'un face-à-face à sens unique, dans lequel il donne sans recevoir, et qui ne se permet pas d'en sortir pour se nourrir sur le plan affectif. Les deux parents ont l'air de parents exemplaires. Pourtant, ils privent leurs enfants de l'essentiel, car ils perpétuent une façon de faire qui affecte leur capacité d'aimer.

Chez les mères d'autrefois, cette manière d'être était davantage la règle que l'exception. Les contraintes socioreligieuses auxquelles elles étaient assujetties les forçaient à faire taire leurs aspirations légitimes et à évoluer en marge d'elles-mêmes. Ce type de rupture avec soi-même est à présent moins fréquent. Lorsqu'il survient, il est générale-ment causé par des contraintes intérieures découlant d'une trop grande idéalisation du rôle parental. La personne essaie de correspondre à sa vision idéale de ce que doit être un parent en se consacrant entièrement à ses enfants et fait taire en elle tout ce qui l'en éloigne. S'ensuivent les tiraillements intérieurs évoqués précédemment.

Le mandat d'un parent est de voir au bien-être de toutes les personnes dont il est responsable, y compris de lui-même. Il va de soi que, si nous décidons d'avoir des enfants, nous considérons avoir la latitude intérieure pour nous décentrer de nous-même. Nous faisons le choix de nous mettre au service d'êtres ayant d'énormes besoins que nous serons le seul à pouvoir satisfaire. Mais nous devons en tout temps garder un œil sur l'enfant que nous portons en nous pour en préserver l'intégrité.

Si nous avons besoin, pour nous réaliser, de faire plus que d'élever des enfants, partageons notre temps entre le travail et eux. Si voir des gens nous fait du bien, sortons. Si des obligations nous pressent, donnons-leur la priorité. Si nous sommes préoccupé, réduisons notre disponibilité aux autres. Si nous sommes malade, abaissons notre seuil de tolérance. Et si nous sommes surmené, donnons-nous les moyens de nous reposer, quitte à commettre une entorse à l'éthique parentale en ayant recours à une formule du genre : «Bon, je suis fatigué. Les enfants, vous allez vous coucher.»

La vie de parent conduit à bien des renoncements personnels auxquels nous consentons de bon gré parce qu'ils nous apparaissent peu de choses en comparaison des grandes joies qu'ils procurent à nos enfants. Mais elle ne commande pas que nous nous oubliions nous-même. Trop nous oublier au profit de nos enfants, c'est mettre de côté une partie de nous dont nous avons besoin pour les aimer.

14 Mettre son enfant à la garderie est-il une bonne chose?

En faveur des garderies, on peut reconnaître qu'elles constituent des milieux stimulants qui favorisent les apprentissages de l'enfant et lui offrent la possibilité de se socialiser. Mais ce sont là des bénéfices superficiels en regard de l'effet négatif que peut avoir leur fréquentation continue sur le développement personnel de l'enfant. Ce dont l'enfant a le plus besoin, c'est d'une présence auprès de lui qui lui fait sentir qu'il est quelqu'un d'unique, et grâce à laquelle il peut évoluer en toute confiance. C'est ce que permet l'intimité affective avec le parent. Dans un contexte optimal, l'enfant ne voit pas son parent comme quelqu'un d'autre mais comme une partie de lui-même qui veillera sur lui autant qu'il en aura besoin en attendant qu'il développe son propre parent intérieur[5].

Aussi adéquat que soit le milieu de la garderie, dès que l'enfant en franchit le seuil, il se retrouve seul et comme un étranger. Il doit se battre pour exister fugitivement aux yeux des personnes habilitées à lui donner le sentiment qu'il est quelqu'un. Et il doit en tout temps demeurer sur le qui-vive parce que les personnes sous la supervision desquelles il se retrouve n'appartiennent pas à son champ d'intimité, elles sont extérieures à lui.

La situation contraignante qui consiste à évoluer quotidiennement pendant de nombreuses heures sous le regard de personnes qui n'offrent pas la proximité affective d'un parent crée un stress et une sensation de manque susceptibles d'affecter l'intégrité de l'enfant.

On pourra faire valoir que certains enfants ont hâte de se rendre à la garderie et s'y trouvent mieux qu'à la maison. Dans ces cas, ce

---

5. Voir la question 29.

n'est pas tant qu'ils reçoivent beaucoup à la garderie, mais bien qu'ils reçoivent peu à la maison. La garderie peut constituer un moindre mal, mais elle n'est jamais *a priori* la meilleure éventualité.

Les garderies sont une réalité de notre temps. Pour beaucoup de parents, elles demeurent une option incontournable. À partir de là, il est préférable de les considérer comme un mal nécessaire plutôt que comme un bien souhaitable de façon à ne pas tomber dans le travers consistant à penser que tout est pour le mieux dans l'univers de l'enfant. Le parent conscient des limites de la situation cherchera à en tirer le meilleur parti tout en s'efforçant de compenser les lacunes qu'elle comporte. Il réduira au minimum le temps que son enfant passe en milieu de garde au lieu de l'y envoyer dès que l'occasion se présente. Il sera attentif au vécu quotidien de l'enfant et partie prenante de toutes les décisions qui le concernent de manière que ce dernier ressente sa présence auprès de lui, au lieu de céder à la tentation de donner carte blanche au personnel éducatif. Et, sensible à l'importance de sa contribution affective, le parent optimisera son temps de présence auprès de l'enfant au lieu de perpétuer la condition de carence en donnant la priorité à sa propre quête affective.

15 Les enfants peuvent-ils avoir des secrets?

Face à un enfant qui refuse de répéter ce que son grand-père, sa tante, un voisin, un ami, ou toute autre personne lui a confié, en invoquant la confidentialité du secret, les parents sont parfois hésitants. Ils se demandent jusqu'à quel point ils sont en droit d'insister auprès de leur enfant pour qu'il leur révèle ce qu'on lui a dit, sensibles à l'argument que, par définition, un secret est quelque chose qui ne peut être divulgué.

Or, si un secret est effectivement quelque chose que l'on ne peut révéler à quelqu'un d'autre, un parent n'est pas «quelqu'un d'autre». Il fait partie de son enfant. Il est la conscience qui lui manque. Son mandat est de s'arrimer au vécu de son enfant pour lui fournir le discernement qui lui fait défaut, en attendant qu'il développe son propre regard sur lui-même. Trouver concevable qu'un enfant puisse cacher quelque chose au parent s'apparente à trouver concevable que l'on puisse se cacher quelque chose à soi-même. Cela ne signifie pas que le parent doive dans tous les cas obliger l'enfant à dire son secret, mais qu'il est justifié de le faire lorsque cela lui paraît nécessaire. Dans le même esprit, il est tout aussi inconcevable qu'une personne prenne sur elle de taire une information à un parent, quel que soit son motif. À moins, évidemment, qu'elle ait des indications objectives selon lesquelles le parent n'assume pas véritablement son rôle de parent. Soustraire un enfant au regard du parent, c'est couper l'expérience de sa conscience. Cela revient à rendre un individu étranger à lui-même et, ce faisant, à interférer dans la bonne marche de son développement.

La même logique s'applique lorsqu'un enfant refuse de parler d'un incident auquel il a été associé ou d'une situation qui le préoccupe. L'enfant revient de chez un ami en pleurant mais refuse de dire ce qui s'est passé, laissant les parents se perdre en conjectures, ou bien il est anxieux d'avoir à se rendre à l'école et refuse d'en donner la raison. Certains parents s'inclinent devant le mutisme de leur enfant, se croyant tenus à une certaine réserve. L'enfant reste alors aux prises avec un problème qu'il n'a bien souvent pas les capacités de régler adéquatement.

Un parent est toujours en droit d'exiger d'avoir un accès direct à l'expérience de son enfant et d'être au fait de tout ce qui le concerne. En fait, c'est non seulement son droit, mais c'est aussi son devoir de s'assurer qu'il en soit ainsi. Il est donc justifié d'insister auprès de son enfant pour qu'il lui dise tout ce qu'il juge nécessaire de savoir, et même, le cas échéant, d'avoir recours à des mesures incitatives pour arriver à ses fins. Il peut alors dire à son enfant : « Je ne te laisserai pas m'empêcher de prendre soin de toi en me tenant à l'écart de ce qui se passe. J'irai même jusqu'à sévir, s'il le faut, pour t'empêcher de te nuire. »

Plus un enfant entretient une relation de qualité avec son parent, plus il se sentira mal à l'aise à l'idée de le tenir en marge de ce qui lui arrive, même lorsqu'il est sollicité par d'autres en ce sens. Et plus un parent est à l'écoute de son enfant, plus il prendra conscience rapidement des zones d'ombre qui obscurcissent sa propre vision et commandent un éclairage particulier. Dans cette perspective, il est difficilement imaginable qu'un enfant puisse être maltraité, ou taxé, sur une longue période sans que le parent devine rien. Si cela se produit, c'est que le parent n'était pas à l'écoute de son enfant. Pourtant, lorsque de telles situations font les manchettes, tout le monde les dénonce en s'interrogeant sur les politiques à mettre en place pour aider les jeunes – mais personne n'a l'idée de se poser cette simple question : « Où étaient donc les parents ? »

16 Comment aborder la question des mythes et de la foi avec un enfant?

L a référence à des personnages mythiques, tels que le père Noël, la fée ou la petite souris qui vient enlever les dents, soulève toujours les mêmes questions. Doit-on laisser l'enfant y croire? Quand faut-il lui dire qu'ils n'existent pas? Que répondre à ses questions?

Certains parents qui ne veulent pas embrouiller l'esprit de leur enfant en lui laissant croire à ce qui n'existe pas lui présentent d'entrée de jeu la réalité telle qu'elle est. D'autres, au contraire, qui répugnent à rompre le charme de l'enfance, alimentent activement ses croyances afin qu'elles durent le plus longtemps possible. Les uns comme les autres commettent l'erreur d'interférer indûment dans le cours normal des choses, au lieu de laisser la maturation cérébrale faire son travail. Tant qu'un enfant ne pose pas les bonnes questions, c'est qu'il n'est pas prêt à entendre les bonnes réponses. Et quand il commence à les poser, c'est qu'il dispose des outils pour répondre par lui-même. Dire à un jeune enfant que le père Noël n'existe pas ne fait que le rendre confus inutilement. L'intensité émotionnelle est tellement forte lorsque Noël arrive que l'enfant n'est plus capable de faire la part des choses. Argumenter avec un enfant plus vieux pour lui démontrer le contraire confronte tout aussi inutilement sa pensée rationnelle qui est encore en gestation.

L'attitude appropriée consiste à demeurer évasif en laissant l'enfant mettre à contribution ses processus mentaux à mesure qu'il en a l'usage. Une façon de faire consiste à lui retourner ses questions en lui demandant «D'après toi?» puis de réfléchir avec lui en relevant les observations pertinentes afin de lui donner le sentiment que l'on chemine en même temps que lui vers la vérité. L'évidence va graduellement s'imposer à lui. Mais le flou laissé devrait permettre à la magie d'opérer encore pendant un certain temps avant de s'estomper, prolongeant ses rencontres avec le merveilleux.

Dans un autre ordre d'idées, il est difficile de discuter des croyances sans évoquer celles, plus engageantes, qui sont associées à la religion. À une époque où les convictions religieuses se sont beaucoup effritées, de nombreux parents ne savent plus très bien ce qu'ils doivent en dire ou ne pas en dire à leurs enfants. La tendance actuelle est de «jouer sûr» en respectant les rites obligatoires tout en faisant peu de cas de la religion, par ailleurs, mais sans non plus remettre ses fondements en question. Plus le scepticisme est grand cependant, plus les parents sont tentés de présenter tout ce qui a trait à la religion comme relevant du domaine du mythe. Ce n'est pas nécessairement la meilleure solution.

Certes, il faut sensibiliser les enfants aux dangers qu'il y a à adhérer à des croyances religieuses. Croire, c'est accepter de ne pas savoir. C'est mettre sa raison de côté pour s'en remettre à des vérités qui ne sont pas vérifiables. Abdiquer ainsi sa rationalité ouvre la porte à des abus de toutes sortes. Prendre appui sur une autorité divine a ainsi souvent servi à des individus à asseoir leur pouvoir et à justifier la guerre. Évidemment, la foi est peu compatible avec le doute. Il est compréhensible qu'un parent faisant l'expérience du contact avec une présence divine considère comme légitime d'en signifier l'existence à son enfant ainsi qu'il le fait pour tout autre élément de la réalité objective. Mais sa connaissance dépendant de données aussi subjectives, ne devrait-il pas la présenter avec les réserves qui s'imposent et éviter de lui accorder valeur de certitude?

Cela dit, s'il veut donner l'heure juste à son enfant, le parent doit aussi tenir compte du fait que la fausseté des croyances religieuses est aussi difficile à établir que leur véracité. La religion commence là où la science finit. La pratique religieuse est née de l'incapacité des hommes à accepter la mort, mais aussi de leur besoin d'expliquer l'inexplicable. La science a répondu à de nombreuses questions, mais des mystères subsistent. Pensons par exemple à la notion d'infini. L'infini est une réalité sur laquelle bute le cerveau humain. Si ingénieuses soient-elles, les théories concernant l'origine de la matière et les frontières de l'univers présentent toutes la faiblesse de se situer dans un ordre de choses comportant un début et une fin. Cela, parce que l'être humain ne peut appréhender les choses autrement. Le Big Bang marque la naissance de l'univers? Soit. Mais qu'y avait-il avant? L'univers est en expansion? D'accord. Mais vers où se dirige-t-il?

Aussi longtemps que des phénomènes demeureront inexpliqués, les réponses que la religion a à offrir vaudront d'être considérées. Les balayer du revers de la main n'est pas plus responsable que les présenter comme des réalités irréfutables. Autant le parent convaincu devrait reconnaître le caractère hypothétique des croyances auxquelles son engagement religieux le conduit à adhérer, autant le parent sceptique devrait s'abstenir d'opposer un démenti catégorique à toute forme de foi, et demeurer ouvert à l'expression d'une certaine spiritualité.

Il reste que la nécessité de bien faire devrait s'imposer d'elle-même au terme d'un développement réussi, sans qu'il soit nécessaire de s'appuyer sur des dogmes pour s'en convaincre. Un adulte achevé n'a pas besoin de se référer à une volonté autre que la sienne pour décider de faire le choix du bien.

Faut-il encourager le bénévolat chez nos enfants ?

Les parents qui incitent leurs enfants à faire du bénévolat le font généralement pour les initier au don de soi. Ils espèrent ainsi les sensibiliser à l'importance qu'il y a à s'oublier pour se mettre au service des autres, et leur faire développer leur altruisme. La démarche est louable mais prématurée. C'est comme s'ils incitaient un enfant de huit mois à marcher. Ce dernier y arrivera peut-être, mais il aura les jambes tordues.

L'altruisme est l'expression d'une disposition à se décentrer de soi-même pour se tourner vers les autres, disposition à laquelle nous ne pouvons accéder qu'au terme d'un long développement qui nous a permis de satisfaire suffisamment nos propres besoins — c'est cela qui nous permet de nous ouvrir aux besoins des autres. Avec l'altruisme, il ne s'agit plus seulement de tenir compte des autres, comme dans le cas de la socialisation[6], mais de leur donner la préséance dans un contexte où nous considérons avoir la disponibilité pour le faire. Si une telle attitude est concevable chez un adulte, chez l'enfant, elle s'avère utopique. L'enfant est un être *normalement égocentrique*. Il ne sert à rien de le lui reprocher. Notre travail consiste plutôt à le faire évoluer vers une condition où il le sera moins. Et c'est d'abord en étant attentif à ses besoins que nous pourrons y parvenir, non en lui demandant de les ignorer. Plus un enfant se sent considéré et respecté, plus il sera réceptif lorsque viendra le temps de faire un geste exigeant de lui une certaine gratuité, comme rendre un service ou avoir une attention pour quelqu'un. À la condition, toutefois, que nous ne lui en demandions pas trop.

---

6. Voir la question 28.

On peut faire valoir, exemples à l'appui, que certains enfants ont une disposition quasi innée pour l'altruisme, tant leur sensibilité aux besoins des autres se manifeste précocement. C'est exact. Il y a des enfants qui, dès leur tout jeune âge, font preuve d'une grande sollicitude envers leur entourage. Ils sont serviables, concernés par les problèmes des autres et prêts à se sacrifier à la première occasion. De quoi faire le bonheur de leurs parents. Le problème est que ces enfants sont rarement heureux. On ne retrouve pas chez eux la joie de vivre que l'on associe spontanément à l'enfance. Ils apparaissent le plus souvent soucieux et tendus. Certains ont des accès de tristesse alors que d'autres sont sujets à des débordements violents et soudains, autant d'indications d'un malaise intérieur que rien ne paraît justifier. Le problème de ces enfants est qu'ils ont acquis très tôt la conviction que la seule façon d'être aimés était de se mettre au service des autres. Ils ont alors pris le parti de faire taire leurs besoins pour se consacrer à ceux des gens dont dépendait leur survie intérieure. Aller ainsi à l'encontre de soi-même a toujours pour effet de générer un fort sentiment d'insatisfaction qui se perpétue au fil du temps, et affecte tant l'identité profonde que la manière d'être des individus. Voilà pourquoi ces enfants présentent les difficultés émotionnelles évoquées.

Seuls des enjeux de cet ordre peuvent prédisposer les enfants au bénévolat. L'aptitude de ces derniers à la gratuité étant trop embryonnaire pour permettre à un véritable altruisme d'émerger, leur abnégation, lorsqu'elle se manifeste, ne peut qu'être fondée sur le besoin de ressentir que les autres ont besoin d'eux. Il ne faut donc pas s'en féliciter mais s'en inquiéter.

Est-ce une bonne chose de rétribuer régulièrement un enfant pour des services rendus ? 18

La décision d'accorder un montant d'argent à un enfant en échange de menus services est généralement motivée par le souci de lui faire comprendre la valeur de l'argent. Dans cet esprit, les parents demandent à l'enfant de s'acquitter de certaines tâches, en retour de quoi ils lui donnent une somme d'argent dont il peut disposer à sa guise. C'est une pratique aisément défendable mais vis-à-vis de laquelle il est tout de même permis d'avoir quelques réserves.

Il faut d'abord souligner que ce à quoi l'enfant a besoin d'être initié n'est pas tant la valeur de l'argent que le prix du mérite et de l'effort. Pour le lui faire comprendre, nous le mettons face à la réalité des choses, à savoir que pour obtenir ce que nous souhaitons, il nous faut le mériter, et que pour le mériter, nous devons déployer des efforts. Il en va ainsi tant pour ce que nous voulons nous offrir (jouets, vêtements, sorties, etc.) que pour ce que nous espérons susciter (admiration, considération, affection, respect, etc.). Par la suite, nous expliquons à l'enfant le rôle de l'argent : expression d'une convention sociale, il permet de chiffrer le mérite et témoigne de la quantité d'efforts fournis. L'enfant comprend alors, sans forcément avoir besoin d'en faire l'expérience par lui-même, que ce n'est pas l'argent qui importe mais ce dont il rend compte.

Rétribuer régulièrement un enfant peut, par ailleurs, avoir l'effet pervers de dénaturer le rapport d'autorité existant entre lui et son parent. De fait, l'enfant ne fait plus face à son parent mais face à un salaire : s'il agit bien, il le reçoit, s'il agit mal, il en est privé totalement ou en partie. Ce n'est pas de cette manière que nous favorisons le bon développement d'un enfant. En fait, l'enfant doit faire au mieux parce que c'est ce qu'il y a de mieux à faire, et non parce que cela est payant au sens propre. Pour cette raison, laisser à un enfant la possibilité de choisir de ne pas faire le mieux, c'est lui donner la possibilité de se faire du tort. À partir du moment où un parent a des exigences vis-à-vis de son enfant, il doit voir à ce que celles-ci soient comprises et à ce qu'elles soient respectées. Un enfant ne peut avoir le choix d'être poli, de faire ses devoirs ou de collaborer aux tâches ménagères. Il doit comprendre l'importance du respect, de la réalisation de soi et de la prise de responsabilité, et il doit agir en conséquence. Nous pouvons le récompenser pour ses efforts, le cas échéant, mais nous ne pouvons laisser sa cupidité décider du cours de son développement.

En dernier lieu, il faut avoir à l'esprit que si l'octroi d'un montant d'argent peut trouver sa justification au moment de l'entrée au secondaire du fait de la condition d'autonomie grandissante de l'enfant, il a beaucoup moins sa raison d'être au cours des années précédentes, quand la condition de dépendance de l'enfant le conduit à se référer à ses parents pour la moindre de ses dépenses.

On peut tout de même faire le choix de donner de l'argent à son enfant sur une base régulière afin de le responsabiliser. Mais l'exercice s'avère presque toujours prématuré, car l'enfant ne possède pas le discernement nécessaire pour gérer cet argent adéquatement, si bien qu'il se solde souvent par un échec. L'option qui consiste à apprécier les demandes de l'enfant une à une, au fur et à mesure qu'elles se présentent, est plus adaptée à la réalité de ce qu'est un enfant. Elle présente de plus l'avantage de donner au parent l'occasion de redéfinir constamment sa position par rapport à son enfant.

L'enfant qui voit son parent glisser sa main dans sa poche pour en extraire de la monnaie reçoit plus que de l'argent. Chaque fois que nous faisons ce geste simple, nous communiquons à l'enfant l'assurance réconfortante que nous sommes satisfait de lui et que tout va bien. Et quand, en retour, il nous prend par le cou pour nous remercier, il exprime plus que de la reconnaissance d'avoir obtenu ce qui était demandé : il dit le bien-être qu'il éprouve à se sentir aimé.

19 Les enfants d'aujourd'hui sont-ils trop gâtés?

Cette question revient régulièrement lorsque les économistes font état des sommes d'argent spectaculaires qui sont consacrées à l'appétit insatiable de ceux que l'on appelle à présent les «enfants consommateurs». On s'interroge sur le bien-fondé mais aussi sur les effets possibles de la surenchère dans laquelle les parents se trouvent engagés malgré eux, en étant parfois à court de repères pour départager l'essentiel de l'accessoire. Il est certain que les jeunes d'aujourd'hui reçoivent beaucoup. Mais cela ne fait pas automatiquement d'eux des enfants gâtés. Pour porter un jugement équitable, nous devons considérer leur situation dans le contexte des nécessités et des possibilités de notre époque, et non nous référer à notre propre expérience d'enfant. En fouillant dans sa mémoire, chacun de nous devrait pouvoir se rappeler s'être fait dire par ses parents, à un moment ou à un autre, qu'il était privilégié; eux-mêmes avaient probablement eu l'occasion d'entendre la même chose de la part de leurs propres parents... C'est l'expérience que fait l'enfant dans la réalité du monde actuel qui donne la mesure du superflu et du nécessaire, et non ce qui avait cours il y a cinquante ou cent ans.

Pour se situer adéquatement face aux multiples sollicitations dont il est l'objet de la part de son enfant, un parent doit prendre l'habitude de se poser trois questions: Mon enfant mérite-t-il cet achat? En a-t-il besoin? En ai-je les moyens? La réponse se situe au point de convergence de ces trois axes. Nous pouvons reconnaître un grand *mérite* à notre enfant, mais avoir peu de moyens. Nous pouvons aussi jouir de moyens considérables, mais n'être convaincu ni du besoin ni du mérite de notre enfant. Et ainsi de suite. Dans cette perspective, ce n'est pas ce que nous achetons, mais le contexte dans lequel nous le faisons, qui nous indique si un enfant est gâté ou non. Il peut être tout à fait approprié d'acheter un jouet dispendieux et, à l'opposé, excessif d'en acheter un meilleur marché ; tout dépend des conditions dans lesquelles l'achat est réalisé.

La notion de mérite ne fait pas tant référence à la performance de l'enfant qu'à son attitude. Les attentes que nous pouvons légitimement entretenir vis-à-vis de notre enfant ne sont pas très élevées. Nous lui demandons d'abord de faire l'effort de s'adapter aux exigences de la réalité sans faire de crise chaque fois qu'il s'en trouve contrarié. Nous lui demandons ensuite de donner le meilleur de lui-même dans ses réalisations. Nous lui demandons enfin de témoigner un minimum de considération aux gens qui l'entourent, et plus particulièrement à ceux qui consacrent une grande partie de leur vie à prendre soin de lui. C'est dans ces trois situations que l'enfant affirme sa qualité d'être humain. C'est donc à elles que nous devons nous référer pour déterminer à quoi notre enfant peut raisonnablement aspirer en retour.

Si la notion de mérite est assez simple à définir, celle de *besoin* l'est un peu moins. Les parents ont souvent l'impression que tout ce qui n'est pas essentiel relève du caprice. Ce n'est pas ainsi qu'il faut voir les choses. Pour un enfant, comme pour un adolescent, prendre soin de son image est aussi important que prendre soin de son corps. D'où la nécessité, impérieuse pour lui, de posséder tout ce qui est à la mode : vêtements, jeux, innovations technologiques, etc. Le parent doit en tenir compte au moment de décider d'un achat et, sans cautionner les excès, éviter de se confiner dans une perspective strictement utilitaire.

Paradoxalement, les enfants qui sont véritablement gâtés sont ceux qui, en fin de compte, reçoivent le moins. De fait, quand un parent donne sans discernement à un enfant, c'est ou bien pour acheter son affection, ou bien pour compenser la présence qu'il ne lui offre pas. Dans un cas, le parent est incapable de refuser quoi que ce soit à son enfant parce qu'il a peur de s'aliéner l'affection de ce dernier; c'est alors son besoin d'être aimé qui a préséance et non celui de son enfant. Dans l'autre cas, le parent va au-devant des demandes de l'enfant pour pallier son peu de disponibilité, mais, ce faisant, il le prive de l'essentiel: une présence aimante. C'est ce qui explique que des enfants qui ont été matériellement comblés durant leur enfance se retrouvent en situation de difficulté personnelle lorsqu'ils atteignent l'âge adulte: ce n'est pas qu'ils ont *trop* reçu, mais qu'ils ont *mal* reçu.

Chez l'enfant investi affectivement par ses parents, auquel ceux-ci ont donné avec discernement, l'urgence de posséder s'atténuera au fil des ans, apaisée par la conviction intérieure qu'il a de sa valeur. Chez l'enfant mal investi sur le plan affectif, elle ira en s'accentuant parce que ce dernier est condamné à s'accrocher à ses possessions pour se convaincre qu'il est quelqu'un.

Pouvons-nous apprendre
de nos enfants ?

Certains parents le croient. Se référant à leur expérience personnelle, ils affirment leur conviction que les enfants peuvent nous donner d'importantes leçons de vie. Nous aurions intérêt, selon eux, à écouter davantage ceux-ci parce qu'ils ont la faculté d'exprimer en termes simples des vérités auxquelles les adultes que nous sommes n'ont plus accès.

Cette perception que les enfants peuvent «en montrer» aux parents est renforcée par ce que nous voyons au cinéma et à la télévision. Les personnages d'enfants que l'on nous propose sont souvent raisonnables et réfléchis, à l'inverse de leurs parents qui sont, eux, immatures et hystériques. Ils sont ouverts au monde et préoccupés par le bien commun ; leurs parents sont étroits d'esprit et doivent cheminer vers la découverte des vraies valeurs. Tous évoluent habituellement dans des univers figés dans le temps, ignorant le fait que nous nous situons sur un continuum évolutif. Les enfants que l'on nous présente semblent ne jamais devoir devenir des adultes ; leurs parents paraissent n'avoir jamais été des enfants. Il y a, d'un côté, le monde des enfants et, de l'autre, celui des adultes. Et les enfants sont des êtres humains plus évolués que les adultes.

Le plus étonnant est que ces antagonismes sont imaginés par des adultes. On peut se demander ce qui les pousse à tracer un portrait aussi défavorable de leurs semblables. Il y a bien sûr le souci de plaire aux consommateurs boulimiques que sont les enfants en leur permettant de s'identifier à des personnages à la mesure de leurs prétentions. Mais il y a parfois plus, surtout lorsque les productions ne s'adressent pas spécifiquement à un public de jeunes. Pour porter un regard aussi sévère sur le monde des adultes, il faut avoir le sentiment de ne pas en faire partie. Cela vaut autant pour ceux qui donnent vie à ces personnages que pour ceux qui prennent plaisir à les voir à l'écran.

Celui qui rejette le monde adulte le fait généralement parce qu'il n'a pas été en mesure de devenir adulte lui-même. L'enfant en lui n'a pas été suffisamment bien entouré pour pouvoir grandir. Cet individu idéalise les enfants parce qu'il en est demeuré un; et il déconsidère les adultes parce qu'il les tient pour responsables de son mal de vivre. Devenu lui-même parent, il est porté à faire alliance avec son enfant contre l'autoritarisme abusif des grandes personnes. Il ne se rend pas compte, alors, que c'est pour lui-même qu'il prend parti lorsqu'il appuie son enfant; et que c'est pour se faire lui-même entendre qu'il lui cède la parole.

Dans les faits, les enfants ont peu à nous apprendre sur le sens et la valeur des choses. La majorité d'entre eux en conviennent d'ailleurs volontiers. Ils sont contents de pouvoir vivre leur vie d'enfant sans se soucier des problèmes du monde, et de s'en remettre temporairement à nous pour les solutionner. Ils nous reconnaissent en retour le droit d'exiger d'eux un certain respect[7], qu'ils accordent aussi, par extension, à l'ensemble des adultes.

Lorsqu'un enfant se sent habilité à faire la leçon aux grandes personnes, c'est habituellement parce qu'il évolue dans un monde sans véritables parents. Il tire sa force de la faiblesse dans laquelle il baigne. Il grandit, habité par la certitude qu'il est celui sur qui l'on compte, et traite en retour son entourage avec condescendance. Se percevant lui-même comme un adulte, il ne voit pas la nécessité de se montrer déférent envers ceux qu'il côtoie, bien au contraire. Il s'accroche fermement à ses opinions et ne se formalise pas des objections qu'elles soulèvent, peu importe de qui elles viennent. Il n'hésitera pas à aller sur la place publique pour faire valoir ses idées, si on lui en donne l'occasion. Mais

---

7. Voir la question 12.

l'image que nous avons alors sous les yeux est trompeuse. Nous ne sommes pas devant un enfant qui exprime des vérités d'enfant, comme son apparence le suggère ; nous sommes face à une petite personne qui cherche à exprimer des vérités de grande personne.

Le danger qui guette celui qui fait précocement son entrée dans le monde adulte est de ne pas pouvoir évoluer vers une authentique maturité. Se comporter précocement en adulte avant d'avoir la capacité émotionnelle pour le faire le conduira à développer une vulnérabilité intérieure qui persistera avec l'âge. Il conservera l'allure de maturité qu'il avait déjà étant jeune, mais il n'aura jamais accès à la force intérieure qui en constitue l'essence. Faire la leçon aux adultes l'aura en quelque sorte empêché d'en devenir un.

21 Les enfants ont-ils changé?

C'est une idée qui court. Certains vont même jusqu'à faire état de l'éclosion de nouveaux types d'enfants qui seraient le résultat d'une évolution récente. On parle d'«enfants Téflon» sur lesquels les méthodes conventionnelles d'encadrement n'ont pas prise, d'«enfants Indigo» dotés d'un esprit original qui les conduit à remettre en question l'ordre ancien. En fait, les changements dont on veut rendre compte par ces expressions sont en rapport avec les difficultés qu'éprouvent un nombre croissant d'enfants à accepter l'autorité de leurs parents et à s'adapter aux exigences des institutions d'enseignement. La thèse soutenue est que si leur fonctionnement pose problème, ce n'est pas parce qu'ils sont perturbés comme on voudrait le croire, mais parce que les méthodes éducatives qu'on leur impose sont désuètes. On les présente comme des enfants vifs d'esprit, réfractaires aux structures qui étouffent leur créativité et libres des contraintes affectives qui rendent dépendants des autres. On concède qu'ils manifestent souvent des signes de détresse, que l'on attribue cependant à leur souffrance d'être incompris.

La perspective peut paraître séduisante. Quel parent ne serait pas content de s'entendre dire que les problèmes de comportement de son enfant ne sont pas causés par des lacunes de développement, mais tiennent au contraire au fait qu'il est trop évolué? Il n'est toutefois pas du tout certain que ce soit le cas. Les théories suggérant l'avènement d'un enfant nouveau reposent sur des bases fragiles, entre autres parce qu'elles s'appuient sur d'hypothétiques reconfigurations génétiques; or le bagage génétique résulte d'un parcours évolutif s'étalant sur des milliers, sinon des millions d'années. Par ailleurs, rien dans l'observation quotidienne des jeunes d'aujourd'hui ne porte à croire qu'ils sont différents au point que l'on doive se référer à une hypothétique mutation.

Les enfants partagent toujours leur temps entre les moments où ils cherchent à constituer un centre d'intérêt et ceux où ils s'en remettent à leur imaginaire pour accéder à la grandeur rêvée que la réalité ou leur âge leur interdit. Les héros et les princesses changent, mais la quête demeure la même. Les adolescents cherchent toujours à cacher le désarroi qu'ils éprouvent à ne pas bien savoir qui ils sont derrière une fausse assurance. Et ils ont toujours plus de facilité à régler le sort du monde qu'à organiser leur vie de tous les jours.

Il demeure vrai que nos enfants nous échappent davantage maintenant que par le passé. Mais la cause en est vraisemblablement plus sociale que génétique. L'éclatement des familles et l'absence des parents ont contribué à créer un vide autour d'eux, dont une des conséquences a été de les couper affectivement du monde adulte. Si l'on voulait absolument étiqueter les enfants d'aujourd'hui, on devrait parler d'«enfants nomades», en perpétuelle transition entre la maison et la garderie, entre un parent et un autre, sans possibilité d'établir des liens solides et des attachements durables. On se retrouve avec des enfants intellectuellement éveillés, mais malheureux et très difficiles à gérer.

Une façon de remédier à cette situation consisterait à élaborer des politiques sociales qui tiennent vraiment compte des besoins fondamentaux des enfants. Cela n'a pas toujours été le cas jusqu'à présent. L'augmentation de l'accessibilité aux services de garderie, présentée comme une mesure destinée à aider les familles, et bien qu'elle soit nécessaire dans le contexte de la vie actuelle pour permettre aux femmes qui le souhaitent de travailler, sert pour le moment davantage les intérêts des parents que ceux des enfants. Envisager de favoriser le travail à temps partiel pour permettre aux parents de passer plus de temps avec leurs enfants constitue une avenue plus prometteuse. Notre société et nos politiques devraient y penser.

DEUXIÈME PARTIE

L'ENFANT, SA PERSONNALITÉ, SON DÉVELOPPEMENT

■

Mon enfant a-t-il du caractère
ou du tempérament ?

« Lui, il n'est pas facile à faire obéir, il a tout un caractère ! » C'est en substance ce que disent les parents lorsqu'ils ont à composer avec un enfant opposant et réactif. Or ce genre d'enfant n'a pas du caractère, mais du tempérament. La confusion ne serait pas grave si elle n'était que de nature sémantique. Le problème vient de ce qu'elle déborde généralement sur une vision déformée de l'enfant.

Lorsque nous nous référons au *tempérament,* nous parlons de caractéristiques innées qui donnent une couleur particulière à la façon dont les individus se présentent. Ainsi, quand nous disons d'une personne qu'elle a du tempérament, nous voulons rendre compte du fait qu'elle a une nature prompte et impulsive. Avoir du *caractère* renvoie au contraire davantage à des caractéristiques acquises. Nous faisons référence à la détermination, à la volonté et au courage dont une personne est capable de faire preuve face à l'adversité. En simplifiant, nous pourrions avancer que le tempérament d'une personne nous dit comment elle va *réagir* émotionnellement devant l'épreuve, et que son caractère nous dit comment elle va y *faire face.*

Quand un parent dont l'enfant se braque pour tout et pour rien commente son attitude en disant qu'il a tout un caractère, il le fait généralement sur un ton qui laisse filtrer une certaine admiration. Ce qu'il sous-entend, c'est que son enfant a un fort caractère. Pourtant, c'est exactement le contraire : son enfant a beaucoup de tempérament mais pas de caractère.

Un enfant qui a du caractère prend sur lui pour faire face aux exigences de la réalité, et ne se désorganise pas chaque fois qu'il est contrarié ou indisposé. L'enfant qui a du caractère est celui qui tend courageusement le bras au moment de recevoir une piqûre parce qu'il sait que cela vaut mieux pour lui que se débattre en hurlant de désespoir. C'est l'enfant qui demeure dans son lit la nuit au lieu de céder à l'impulsion d'aller rejoindre ses parents, c'est celui qui s'arrache à son émission de télévision pour venir souper au lieu de s'agripper aux pattes du fauteuil, c'est enfin celui qui s'acharne sur son problème de mathématiques au lieu de harceler ses parents pour qu'ils le résolvent à sa place.

Paradoxalement, le fait d'avoir un tempérament fort peut favoriser le manque de caractère. En effet, plus un enfant est réactif, plus les parents ont tendance à limiter leurs exigences à son endroit pour ne pas subir ses crises. L'enfant grandit ainsi avec la conviction que la réalité doit s'adapter à lui et non l'inverse, et il devient de plus en plus intolérant vis-à-vis des frustrations tout en étant incapable de composer avec elles.

Un parent peut venir à bout de n'importe quel tempérament s'il a suffisamment de détermination pour faire face à son enfant tout au long de son développement. Il n'a pas à s'engager dans une partie de bras de fer avec lui dès sa naissance. Il a à lui imposer calmement et fermement de faire ce qu'il doit faire dès son jeune âge, peu importe l'ampleur de ses réactions, en utilisant des mesures d'incitation s'il résiste (le retirer dans son parc ou sa chambre), mais en reconnaissant aussi son immense mérite quand il affronte les difficultés, notamment lorsqu'il surmonte son aversion naturelle pour tout ce qui s'apparente à un changement. Au fil du temps, le parent voit alors émerger un enfant dont il peut véritablement dire qu'il a tout un caractère, sans pour autant éprouver de difficultés particulières à l'élever.

Comment s'y prendre avec un enfant qui traverse la période du Non ?

La *période du Non* désigne la phase de développement durant laquelle un enfant réalise qu'il est un être séparé ayant une individualité propre ; il cherche alors à affirmer sa singularité nouvellement découverte en s'opposant à la volonté de ses parents. La psychologie situe cette période vers l'âge de deux ans et l'associe étroitement à l'apprentissage de la propreté parce que cet apprentissage, qui en est contemporain, constitue une occasion privilégiée pour l'enfant d'exercer son pouvoir d'opposition par le biais de sa capacité de rétention.

Mais pourquoi se référer à une période du Non, alors que la propension des enfants à s'opposer est de loin ce qu'il y a de plus permanent chez eux, du début jusqu'à la fin de leur développement ? Parce que l'enfant de cinq, dix ou quinze ans ne dit pas « Non » simplement pour le plaisir. Il le fait parce que les exigences que nous avons à son endroit l'obligent à se décentrer de ses besoins immédiats. Au contraire, l'enfant de deux ans qui en est à ses premiers pas dans l'affirmation de soi s'oppose par pur plaisir de s'opposer sans être préoccupé véritablement par ce à quoi il s'oppose.

Cette étape du développement est considérée comme étant « normalement difficile » pour les parents, notamment à cause des accès de colère fréquents auxquels ils sont confrontés. Cela lui a valu d'être désignée par les Anglo-Saxons comme les *terrible twos*. Il y a là cependant une généralisation abusive. Ce n'est pas parce que beaucoup de parents éprouvent plus de difficultés avec leur enfant durant cette période que celle-ci s'avère « normalement difficile » pour tous les parents. Penser de cette façon ferme à d'éventuelles remises en question qui pourraient s'avérer bénéfiques.

Un enfant qui entre dans la phase du Non devient un enfant plus opposant, non un enfant plus difficile. Il ne deviendra un enfant difficile que si ses parents éprouvent de la difficulté à composer avec son opposition. Le parent qui ne se sent ni indisposé ni impressionné par la préoccupation naissante de son enfant à établir sa suprématie sur son entourage lui montrera les limites de sa toute-puissance en affichant une fermeté empreinte d'indulgence. Il verra à ce que l'enfant obtempère à ses demandes en s'ajustant aux exigences de son tempérament[8], sans solliciter un assentiment impossible à obtenir et sans non plus lui tenir rigueur de ses emportements passagers. L'enfant se rendra rapidement compte qu'il se donne plus de mal qu'il n'en cause et tempérera ses ardeurs émancipatrices avant qu'elles aient eu le temps de devenir préoccupantes.

Pour que la période du Non corresponde à l'image cauchemardesque que l'on s'en fait, il faut que les parents se soient trouvés pris à contre-pied au moment où l'enfant a commencé à se dresser devant eux et ne soient pas parvenus à se ressaisir promptement par la suite. Les parents qui se trouvent dans cette situation sont généralement des personnes mal à l'aise avec les rapports d'autorité, qui ne savent pas trop comment réagir lorsque leur enfant, jusque-là relativement docile et conciliant, se met à tout contester. Étant peu portés sur les confrontations, ils souscrivent de bon gré à l'idée que les crises de leur enfant s'inscrivent dans un processus normal et que le mieux est d'attendre que ça lui passe. Or, loin d'aller en s'atténuant, l'attitude opposante de l'enfant va alors en s'intensifiant et le conduit à se comporter d'une manière tyrannique qui risque de persister bien au-delà de l'étape transitoire qui en a été à l'origine.

Pour éviter que cela se produise, il faut cesser de minimiser l'attitude confrontante de l'enfant et s'interroger sur ce qui la renforce, en

---

8. Voir la question 22.

ayant en mémoire que sa résistance prend toujours appui sur notre vulnérabilité. Sommes-nous réfractaire à nous imposer à lui avec autorité parce que nous idéalisons notre rôle de parent et répugnons à nous montrer sous un jour plus opprimant? Avons-nous peur de nous aliéner son affection? Sommes-nous trop émotif pour lui faire face? Mettre le doigt sur ce qui le déstabilise chez son enfant peut permettre au parent de se ressaisir et d'opposer une saine fermeté à ses prétentions dominatrices. Une telle attitude fait que la période du Non est ce qu'elle doit être, soit l'occasion pour l'enfant de découvrir qu'il a sa place dans le monde, non qu'il en est le maître.

24 Mon garçon a le même caractère dominateur que son grand-père — est-ce génétique?

« Il est tout le portrait de son grand-père.» Le sentiment du parent qui commente les problèmes d'attitude de son enfant en ces termes est que ces problèmes sont héréditaires, et qu'il ne peut pas faire grand-chose pour y remédier. C'est possible. Mais ce n'est pas forcément vrai. Nous pouvons transmettre nos façons d'être autrement que par le biais de l'hérédité. Le cas clinique qui suit en fait foi.

Un couple se présente en consultation avec un garçon de quatre ans qu'il qualifie d'excessivement nerveux et agressif. D'après les parents, l'enfant est constamment tendu, présente certains tics et dort mal. C'est par ailleurs un garçon sérieux qui fait preuve d'un sens aigu des responsabilités pour son âge. En voiture avec sa mère, il surveille la route et lui indique la signalisation. À la maison, il prend soin de son jeune frère dont l'état le préoccupe constamment. Par ailleurs, il n'entend pas à rire, surtout avec son père, et traîne une mauvaise humeur qui débouche sur une attitude autoritaire s'exprimant par de l'impolitesse et des gestes de défi, comme montrer le poing. Cet enfant qui a l'air vieux pour son âge se montre pourtant tout à fait immature à certains moments: une petite contrariété peut suffire à le faire geindre et se rouler par terre. Autre note discordante: il veut tout régir dans la maison, mais il recule dès qu'il est question d'apprendre quelque chose de nouveau, comme conduire une bicyclette ou patiner, parce qu'il craint de ne pas être à la hauteur.

Les parents ne s'entendent pas parfaitement sur ce qui pose problème chez leur enfant, la mère ayant tendance à minimiser le caractère préoccupant de ses attitudes frondeuses. Mais ils sont d'accord sur un point : le garçonnet est la réplique exacte de son grand-père maternel, un homme intolérant et despotique qui n'admet aucune discussion et a toujours besoin d'affirmer son emprise sur son entourage, particulièrement sur les femmes dont il recherche la compagnie tout en les méprisant ouvertement.

Tandis qu'elle conclut sur ce qu'a été sa relation avec cet homme, son propre père, la mère mentionne avoir développé une aversion telle pour ce genre de personne qu'elle a pris soin d'épouser quelqu'un qui en est l'opposé. Effectivement, on remarque que son mari a l'allure d'un petit garçon inoffensif. Lui-même se décrit comme mal à l'aise avec les relations d'autorité et ayant souffert de l'autoritarisme d'un père qui le maltraitait. En conséquence, il se voit comme un ami pour son aîné qui, selon ses propres dires, ne le prend pas au sérieux.

Tout au long de la discussion, il est frappant de noter le peu de cas que la femme fait de son mari : elle l'interrompt sans préavis ou le reprend sur un ton réprobateur. Il est tout aussi frappant de constater qu'en dépit des griefs qu'elle entretient à l'égard de son propre père, celui-ci paraît exercer une véritable fascination sur elle. Elle en parle abondamment, souvent sur un ton admiratif, qui rappelle étrangement le ton qu'elle adoptait quelques minutes plus tôt quand elle parlait de celui qu'elle appelle son «petit homme».

L'évaluation de l'enfant a permis de mettre en évidence, chez celui-ci, un souci de correspondre à ce qu'il percevait que sa mère voulait qu'il soit : un mâle dominant et protecteur, à l'image de son grand-père. C'est ainsi que s'est développée une ressemblance qui aurait pu être mise spontanément au compte de l'hérédité. L'enfant devait cependant, pour se montrer à la hauteur, faire taire ses besoins d'enfant et soutenir une position de suradaptation qui était trop lourde pour lui sur le plan affectif. D'où ses problèmes de tension nerveuse, ses tics et son agitation nocturne. D'où aussi la peur qu'il avait de ne pas être suffisamment performant et sa réactivité excessive face à des contraintes anodines.

Ce cas permet de voir comment les traits de caractère peuvent se transmettre dans une lignée générationnelle sans avoir besoin de passer par le bagage génétique. Dans le cas présent, le processus dont il est question s'apparente au surmoulage : un individu (le grand-père) marque un autre individu (la mère) de son empreinte ; à partir de cette empreinte, cet autre tente de reconstituer une réplique de la matrice originelle chez un troisième (le fils).

Il faut se retenir de conclure trop rapidement à l'atavisme devant la réapparition de traits de caractère problématiques ; à défaut de quoi, nous risquons de tomber dans le fatalisme et la résignation. Prendre conscience de ce qu'ils perpétuaient activement a permis à ces parents de remettre en question certaines de leurs attitudes et de se situer différemment face à leur enfant qui en a tiré profit. En comprenant mieux la différence entre encadrement et coercition, le père a été en mesure d'affirmer plus aisément son autorité. Sensibilisée à la détresse intérieure de son garçon, la mère s'est montrée moins complaisante devant ses prétentions à la maturité. Les deux parents se sont appliqués à décourager les initiatives inadaptées de leur fils, telles que prendre la famille en charge, et à exiger de lui qu'il se contente d'être un enfant en ne tolérant plus ses accès d'humeur. En l'espace de quelques mois, les expressions de fausse maturité de l'enfant ont presque complètement disparu, et avec elles, les manifestations de tension et les débordements de l'humeur. Une meilleure complicité s'est établie entre le fils et le père, ce qui a contribué à assainir le climat familial. Le garçonnet ressemble de moins en moins à son grand-père. Le moulage n'aura pas pris…

Comment concilier le désir d'autonomie des jeunes enfants et la nécessité où ils se trouvent d'être étroitement dirigés ?

Dès leur jeune âge, les enfants se trouvent engagés dans une quête d'autonomie qu'il n'est pas toujours facile de gérer. Nous ne voulons pas nous comporter en parent surprotecteur qui maintient son enfant dans une condition de dépendance, mais nous ne pouvons pas non plus laisser celui-ci prendre n'importe quelle initiative. En ce qui concerne le degré de latitude dont il est possible de faire preuve dans une situation ou une autre, les opinions varient. Mais il est une règle sur laquelle tous les parents peuvent s'appuyer en toutes circonstances : l'enfant qui se dit capable de faire quelque chose doit en faire la preuve. Vouloir l'autonomie, c'est prétendre à la capacité d'être responsable de soi. Chaque revendication en ce sens équivaut à demander au parent de déléguer un peu de sa propre responsabilité. Or un parent ne peut confier son enfant à n'importe qui. Il doit s'assurer qu'il y a quelqu'un de fiable dans sa tête à qui il peut s'en remettre. C'est un processus qui commence vers 18 mois et se termine vers 18 ans. Et si l'on veut que les choses se passent bien à 18 ans, il faut bien faire les choses dès 18 mois.

Accompagner un jeune enfant dans sa poussée naturelle vers l'autonomie n'implique pas de grandes confrontations agressives. Le parent doit simplement rendre l'enfant responsable de ses choix avec détermination mais sans ressentiment : «Tu veux descendre de mes bras, tu me donnes la main ; si tu ne donnes pas la main, tu remontes dans mes bras», «Tu veux marcher seul, tu restes près de moi ; si tu t'éloignes, tu me redonnes la main», «Tu veux déambuler à ta guise, tu ne vas pas dans la rue ; si tu t'y risques, tu restes près de moi», et ainsi de suite…

L'attitude du parent doit demeurer sensiblement la même au fil des mois et des années, qu'il s'agisse de manger seul, de descendre un escalier, d'enfiler des chaussettes ou d'ouvrir une porte. Face à tous les «Moi tout seul…» et «Non, c'est moi!» de l'enfant, le message doit rester en substance le suivant: «Montre-moi que tu peux bien faire, tout en suivant mes indications, et je te laisserai faire.» L'exercice se complique lorsque l'accession à l'autonomie nécessite des apprentissages préalables, tels que savoir tenir un crayon, lacer ses souliers, enchâsser des pièces, etc. Les enfants désirent tout savoir mais ne veulent rien apprendre. De là, leur peu réaliste «Je suis capable» qui ferme d'entrée de jeu toute tentative de notre part pour les aider ou les initier à quelque chose de nouveau, auquel nous sommes tenté d'opposer le bien peu parental «Débrouille-toi tout seul!».

Nous devons avoir pour objectif que l'enfant finisse par bien faire tout ce qu'il est appelé à faire, par lui-même. Il faut pour cela le forcer à apprendre ce qu'il doit apprendre, à mesure que son développement l'amène à élargir ses horizons personnels. C'est le prix qu'il a à payer pour prendre sa vie en main. Nos exigences resteront essentiellement les mêmes tout au long du développement de l'enfant. Celui-ci voudra gérer son travail scolaire, régler ses conflits lui-même, disposer de son argent, être maître de ses déplacements. Il devra tenir compte des indications que nous lui donnerons et respecter les limites du champ d'autonomie que nous lui reconnaîtrons.

La conquête de son autonomie est un enjeu important dans la vie d'un enfant. Pour que le transfert de responsabilité s'amorce bien, il faut qu'il comprenne très tôt qu'être autonome n'est pas un droit mais un privilège.

Le complexe d'Œdipe existe-t-il réellement? Si oui, comment faire pour que l'enfant le vive bien?

La psychologie se réfère au complexe d'Œdipe pour rendre compte d'un phénomène qui se produit chez les enfants de quatre ou cinq ans, au moment où ceux-ci deviennent sensibles à l'existence de leur génitalité. L'éveil génital «contamine» en quelque sorte le sentiment affectueux éprouvé pour le parent de l'autre sexe, sentiment qui, pendant un moment, prend l'allure d'une recherche de rapprochement amoureux.

Dans les faits, sortant de l'indifférenciation des premières années, l'enfant découvre qu'il est un individu sexué à un moment où ses parents se situent encore à l'épicentre de son univers affectif. Il s'ensuit une période où les émotions s'entremêlent et où la quête affective devient difficile à dissocier de la quête de complémentarité sexuelle. La petite fille veut être aimée comme enfant, mais elle veut aussi être reconnue comme fille, et c'est dans les yeux du père qu'elle cherche cette reconnaissance. De la même façon, le petit garçon ressent le besoin d'affirmer sa condition masculine et en cherche la confirmation dans le regard de sa mère.

C'est dans ce contexte que l'on observe une présentation de soi plus coquette et enjôleuse chez la fillette, et une prétention à assumer un rôle d'autorité et de protection chez le garçonnet, chacun se proposant comme une alternative crédible au parent rival qui est déjà en place. Même si leurs mouvements sont empreints d'une certaine sensualité, l'objectif des enfants demeure d'établir leur *identité sexuelle* et non de vivre une *expérience sexuelle*.

À l'issue d'une évolution naturelle, l'enfant émerge de la période œdipienne sans grands bouleversements intérieurs. Il abandonne ses aspirations amoureuses dans un mouvement qui tient davantage de l'évolution naturelle que du renoncement. Son développement l'amène à s'ouvrir spontanément sur le plan social et à se tourner vers les autres enfants qui correspondent mieux à sa réalité physique (notamment en ce qui concerne le développement sexuel) et mentale.

L'Œdipe n'est jamais problématique chez l'enfant... s'il ne l'est pas chez les parents. Mais il peut l'être chez les parents. Il arrive en effet que l'affirmation nouvelle de l'enfant comme être sexué trouve un écho chez l'un ou l'autre des parents (parfois les deux) qui se trouve déstabilisé par la sollicitation dont il est l'objet : un père qui ne s'était jamais occupé de sa fille depuis sa naissance voit éclore une petite femme charmeuse pour laquelle il se découvre un intérêt soudain ; une mère qui éprouve le besoin d'avoir quelqu'un de fort auprès d'elle encourage sans s'en rendre compte les prétentions conquérantes de son petit garçon.

Dans de telles situations, il n'est pas question de gestes sexuels explicites ou d'attitudes incestueuses. Il s'agit simplement d'un climat relationnel trouble pouvant conduire à des aménagements problématiques. La complaisance plus ou moins consciente du parent crée en effet un terrain favorable à l'intensification des fantaisies œdipiennes et incite l'enfant à persévérer dans sa démarche. C'est à ce moment-là que les choses se gâtent. Le parent sollicité commence à éprouver un malaise croissant qui le porte à prendre ses distances par rapport à son enfant. Quant au parent évincé, il se trouve pris dans une confrontation qui le conduit à faire de même. Dès lors, l'enfant se sent isolé, et il ne sait plus ce qu'il a le droit de vivre, ni ce qu'il a le droit d'être. Il sort de l'Œdipe habité par la solitude et en éprouvant des sentiments confus à propos de son identité sexuelle. Plus tard, il éprouvera des difficultés à vivre sereinement l'intimité sexuelle. C'est dans ce cas de figure que les psychologues parlent d'un «Œdipe mal résolu».

Afin que tout se passe bien au cours de la période œdipienne, il faut que les parents se montrent sensibles aux efforts de l'enfant pour affirmer son identité, sans pour autant se laisser troubler par ses manœuvres de séduction. Si tel est le cas, ils devraient être en mesure de réagir positivement aux expressions de masculinité et de féminité de leur enfant, tout en étant capables d'établir clairement les limites à l'intérieur desquelles elles peuvent se manifester. La mère aidera sa fille à incarner une féminité à laquelle le père insufflera de la vie en posant sur elle son regard d'homme. Et ce sera l'inverse pour le garçon. Ni l'un ni l'autre des parents ne se sentant remis en question par les fantaisies de leur enfant, celles-ci s'estomperont graduellement faute de soutien dans la réalité. Il faudra à l'occasion rappeler l'enfant à l'ordre lorsqu'il cherchera à se subtiliser au parent rival, avec fermeté, mais sans se formaliser à outrance.

Face à la petite fille exagérément prévenante à l'endroit de son père ou du petit garçon trop empressé de prendre en charge les tracas de sa mère, il convient de ramener l'enfant à sa condition d'enfant et d'exiger de lui qu'il se comporte en conséquence. Contrarié sur le coup, l'enfant se sentira finalement soulagé d'être extrait des eaux troubles de l'évolution humaine dans lesquelles l'espèce l'avait momentanément placé et de retrouver la sérénité affective qui l'habitait avant la fébrilité œdipienne.

27 Jusqu'à quel point pouvons-nous partager l'intimité physique de notre enfant?

Il n'est pas facile de séparer le mieux du pire en ce qui concerne l'intimité physique entre un parent et son enfant. Est-ce une bonne chose de prendre son bain avec son enfant? De partager le même lit que lui? Peut-on se promener nu devant lui? Le laisser faire de même? Où se situe la démarcation entre l'affection et la sensualité? Comment éviter de perpétuer les tabous d'une autre époque sans tomber dans le libéralisme à outrance?

Il est vrai que les interdits issus du puritanisme socioreligieux ont nui à l'épanouissement de bien des individus. Mais il est aussi vrai qu'un développement sain passe par le respect de certaines règles favorisant une intégration modulée des rapports d'intimité. Ces règles ne sont pas fondées sur des préoccupations ayant trait au bien et au mal, mais plutôt sur le souci de fournir ce qui est le plus adapté aux besoins des enfants.

Le moment charnière en ce qui a trait à l'intimité se situe entre trois et quatre ans quand, après avoir découvert qu'il était un être séparé pouvant affirmer son individualité et son emprise sur le monde (période du Non), l'enfant réalise qu'il est un être sexué. Il sort alors graduellement de l'indifférenciation sexuelle des premières années pour devenir un garçon ou une fille. Sa sensualité s'affine et fait qu'il est plus en éveil face aux réalités sexuelles.

Le caractère troublant des expériences vécues à cet âge incitera la majorité des enfants à opérer spontanément un virage progressif vers une attitude plus pudique, que la majorité des parents respecteront tout aussi spontanément, voire qu'ils encourageront. Les enfants ressentent confusément que le champ sexuel est un champ personnel;

cette expérience s'inscrit dans leur évolution vers la conscience qu'ils ont une intégrité à préserver à laquelle ils ne peuvent laisser n'importe qui avoir accès. En ce sens, la réaction de pudeur est un dérivé de la réaction de gêne qui constitue l'aboutissement normal de l'accession de l'enfant à la conscience de soi. À la différence de la timidité, qui en est la version pathologique parce qu'elle traduit un malaise généralisé en société, la gêne est l'expression d'une saine réserve à l'idée d'exposer ce que l'on est au regard d'autrui.

Certains parents ne s'embarrassent pas de ce genre de considérations. Peu sensibilisés à la notion d'intimité, ils ne voient rien de mal à persister, au fil des ans, à se montrer nus devant leurs enfants, à prendre leur bain avec eux, à partager le même lit, etc. Ces personnes sont généralement aussi transparentes sur le plan psychique que physique. Dénuées d'intériorité, elles expriment tout ce qu'elles ressentent sans éprouver le besoin de s'interroger sur la pertinence d'étaler ce qu'elles vivent aux yeux des autres.

D'autres parents adoptent délibérément le plus grand libéralisme possible, car ils croient ainsi favoriser un développement plus harmonieux chez leur enfant. C'est cependant l'inverse qui se produit. Ce type d'éducation favorise l'émergence d'une sexualité plus chaotique. L'erreur que commettent ces parents est de croire qu'il suffit de présenter les choses d'une façon pour que l'enfant les vive de cette façon. Ce n'est pas parce qu'un père banalise le fait de se retrouver sous la douche avec sa fille de sept ans que celle-ci ressent l'expérience comme banale. Et il ne suffit pas qu'une mère considère comme normal de se promener nue devant son garçon de huit ans pour que celui-ci dispose de la quiétude intérieure qu'elle imagine.

Le but de ces lignes n'est pas de faire passer le parent qui dort avec son enfant pour un pervers, pas plus que de soutenir que l'enfant qui voit l'un de ses parents nu va s'en trouver traumatisé. Il est de sensibiliser les parents au fait que l'éveil des sens à la sexualité chez l'enfant commande l'introduction de frontières personnelles, et que les habitudes favorisant le maintien d'une certaine promiscuité ouvrent inutilement la porte à des expériences difficiles à intégrer pour l'enfant.

Par ailleurs, que l'enfant traverse ou non une période d'éveil sensuel ou sexuel, il est souhaitable que dès son jeune âge il dispose d'un espace bien à lui quand vient le temps de prendre un bain ou de dormir, car ce sont là des occasions privilégiées de se couper du monde pour se retrouver avec soi-même.

Les parents qui cèdent aux caprices de leurs enfants en les laissant dormir avec eux ne leur rendent pas service. Ceux qui les incitent à le faire parce qu'ils ne peuvent pas se passer d'une présence à leur côté, encore moins! Perpétuer ce genre de situation nuit au processus qui doit conduire l'enfant à apprivoiser sa solitude. L'impression de belle intimité qui se dégage d'un petit enfant endormi contre son père ou sa mère peut faire perdre de vue que la véritable intimité vers laquelle nous devons évoluer est celle que nous entretenons avec nous-même.

Comment puis-je développer les compétences sociales de mon enfant ?

Un des motifs souvent invoqués pour inciter les parents à inscrire leur enfant dans une garderie ou une prématernelle est que cela va favoriser sa socialisation. On pense que le fait de côtoyer régulièrement d'autres enfants l'initiera au partage, à la tolérance, au respect, à la coopération, et l'amènera à développer ses «compétences sociales». Mais ce n'est pas de cette façon que les choses se passent.

Un enfant peut entrer à la maternelle en ayant eu un minimum de contacts avec d'autres enfants et n'éprouver aucun problème d'intégration sociale. À l'opposé, un autre enfant peut avoir fréquenté des garderies et des prématernelles depuis sa naissance et se révéler socialement inadapté. C'est que la *socialisation* n'est pas le résultat d'un apprentissage mais l'aboutissement d'un développement. L'essentiel du travail de socialisation consiste à amener un enfant à tenir compte des autres enfants afin de composer avec eux. Or, pour qu'un enfant tienne compte des autres, il ne suffit pas qu'on lui explique ce qu'il doit faire, il faut surtout qu'il soit dans une disposition d'esprit qui l'amène à le faire. Et c'est la qualité de son développement personnel qui lui donnera accès à cette disposition.

Apprendre à un enfant qu'il doit partager prend quelques minutes, le lui faire accepter prend des années. Il faut que ses besoins aient été suffisamment satisfaits pour qu'il ne soit pas en manque dès qu'on lui enlève quelque chose. Il faut qu'il ait été régulièrement confronté à la nécessité de composer avec les exigences de la réalité et les frustrations qui y sont associées. Et il faut que l'on soit parvenu à faire émerger chez lui la conscience qu'au-delà de ses besoins personnels existent ceux des autres, tout aussi éprouvants à vivre, et auxquels on peut, voire on doit, être sensible. C'est ce à quoi un développement sain donne accès.

Pour qu'un enfant soit capable de se socialiser, il faut qu'il soit bien dans sa peau et sensible aux autres. En ce sens, le véritable travail est réalisé en marge de la rencontre avec les autres enfants. C'est pourquoi l'immersion sociale précoce n'est pas toujours un gage de succès. Elle peut même, paradoxalement, nuire au processus de socialisation, si elle prive l'enfant des rapports d'intimité dont il a besoin pour s'ouvrir sainement aux autres.

L'intégration dans une prématernelle peut avoir de la valeur pourvu qu'elle soit faite dans le but de permettre à l'enfant de vivre des expériences nouvelles, dont la socialisation, et non d'acquérir des compétences que les lacunes de son développement ne lui ont pas permis de développer.

Comment transmettre de bonnes valeurs aux enfants ?

On entend souvent dire que les jeunes d'aujourd'hui ne disposent pas de valeurs auxquelles se référer, qu'il faudrait leur en inculquer. Le but de l'éducation n'est pourtant pas tant de transmettre des valeurs aux enfants que de «construire» les enfants de manière qu'ils en viennent à adhérer spontanément aux valeurs qui leur paraîtront justes. La meilleure façon d'amener un enfant à avoir des valeurs saines n'est pas de lui montrer comment il doit voir les choses, mais de lui donner la clé qui lui permettra de *développer sa propre conscience* des choses.

Favoriser l'émergence de la conscience chez un enfant, c'est le faire sortir du monde de l'égocentrisme pour le faire entrer dans celui de la perspective. Au lieu de tout ramener à soi-même, l'enfant devient progressivement capable de se décentrer de son propre point de vue pour considérer celui des autres. Ce faisant, il passe d'une logique où il cherchait à faire le mieux «pour lui» à une logique où il cherche à faire le mieux «en soi» en tenant compte des autres et de lui.

L'enfant est inconscient dans la mesure où il n'est pas apte à voir plus loin que son besoin du moment. Que le parent lui donne ce qu'il veut, même si cela lui fait du tort, et il le considère comme gentil ; qu'il le lui refuse et il le considère comme méchant, même s'il a agi pour son bien. Ce qui satisfait l'enfant est bien, ce qui le contrarie est mal, indépendamment des conséquences pour les autres. Il peut ainsi tricher et avoir le sentiment qu'il a gagné, mentir et penser qu'il a raison, faire du mal et se sentir victime.

Les choses commencent à changer lorsque l'enfant atteint six ans. À cet âge, il ne peut plus aussi facilement voir la réalité à travers le spectre déformant de ses besoins. L'évolution de son cerveau lui donne accès à une nouvelle aptitude : se dégager de ce que ses sens lui suggèrent pour mettre ce qu'il vit en perspective. Nous disons alors de lui qu'il a atteint l'âge de raison. Non parce qu'il est plus raisonnable – c'est souvent loin d'être le cas ! –, mais parce qu'il peut être raisonné, car il existe à présent quelqu'un dans sa tête à qui nous pouvons faire appel pour porter un jugement critique sur sa façon d'être et d'agir : son *parent intérieur* est né. Cette instance naissante a la propriété exceptionnelle de ne pas être au service du corps qui l'abrite. Elle n'a pas de parti pris pour celui qui en a l'usage. Sa fonction est de chercher à déterminer ce qui est le mieux dans une situation donnée en tenant compte de l'ensemble des personnes concernées, y compris celle dont elle est issue.

Plus sa perspective s'élargit, moins l'enfant est enclin à se fier à ce qu'il ressent pour départager le mieux du pire. Il en vient ainsi à réaliser que ce n'est pas parce qu'il a envie de faire quelque chose que c'est la chose à faire ; que ce n'est pas parce qu'il désire quelque chose qu'il est justifié de se l'approprier ; que ce n'est pas parce qu'une personne l'indispose qu'elle agit mal, et ainsi de suite. Il ne peut plus conclure aussi facilement qu'il a raison d'en vouloir à l'ami qui a réalisé un meilleur temps que lui à l'occasion d'une course sportive, qu'il n'y a rien de mal à s'accaparer tous les jouets de la garderie, qu'il est en droit de passer avant les autres si cela réduit son attente, qu'il suffit d'avoir envie de dire quelque chose pour présumer que les autres ont envie de l'entendre ou que le professeur qui l'a pris en faute est méchant de le sanctionner comme le prévoit le règlement.

Cette émergence de la conscience ne se fait pas sans mal. L'inconscience procure un état de confort mental que l'enfant ne quitte qu'à regret. Au point qu'il faut littéralement l'en arracher. Il est tellement plus simple pour lui de voir les choses de la manière qui lui convient. Il faut le forcer à voir ce qu'il a préféré jusque-là ne pas voir, jusqu'à ce que son témoin intérieur soit suffisamment développé pour qu'il ne puisse plus échapper à son regard, ce qui ne se fera, dans le meilleur des cas, qu'au terme de son développement.

Plus une personne est apte à la conscience, plus l'importance qu'elle accorde à son intérêt personnel devient relative à ses propres yeux parce qu'en toutes situations, sa façon d'aborder la réalité l'incite à tenir compte de l'ensemble des individus concernés, y compris elle-même. Cette manière de se situer la conduira naturellement à adhérer à des valeurs fondamentales comme le respect, la liberté, la justice et l'équité, toutes fondées sur la reconnaissance de l'importance des autres individus. Non pas parce qu'on lui aura dit que ces valeurs sont bonnes et qu'on les lui aura transmises, mais parce qu'elle-même aura fait l'expérience de leur justesse à partir d'un regard sur le monde qui n'est à la solde de personne, pas même de soi. Ce ne sont pas les valeurs que l'on nous transmet qui devraient nous dire ce qui est bien, c'est notre capacité de voir ce qui est bien qui devrait nous indiquer à quelles valeurs souscrire.

30 Est-il nécessaire de jouer avec son enfant ?

Quand on aborde la question du jeu avec des parents, certains sont mal à l'aise d'avouer qu'ils n'éprouvent pas autant de plaisir qu'ils le voudraient à partager les jeux de leurs enfants. Ils croient être de mauvais parents parce qu'ils ne correspondent pas à l'image répandue du parent épanoui profitant pleinement des moments de jeux qui seraient autant d'occasions de retrouver son âme d'enfant. Ils ont tort de s'inquiéter, car leur attitude est l'aboutissement naturel d'un développement normal.

Contrairement à ce que nous croyons généralement, les enfants ne jouent pas uniquement pour s'amuser. Si nous y regardons de près, nous nous rendrons compte que l'état d'esprit dans lequel se trouve l'enfant qui s'affaire à son bricolage, exécute un casse-tête, dispute le ballon à des amis, ou se mesure à l'ordinateur, a bien peu à voir avec la joyeuse insouciance que nous associons généralement aux activités ludiques.

Le jeu a d'abord une *fonction adaptative*. Il est l'occasion pour l'enfant de développer des habiletés multiples qu'il pourra plus tard mettre à profit. Sa principale caractéristique n'est pas son côté amusant mais son absence d'incidence sur la vie réelle. Par définition, lorsque l'on joue, on se situe dans le faire semblant. On construit une maisonnette en attendant de bâtir sa propre maison, on joue à la poupée en attendant de prendre soin d'un enfant, on se donne des allures de superhéros en attendant de donner sa pleine mesure dans la vie, et on crée artificiellement des situations d'émulation, comme c'est le cas au tennis ou aux échecs, pour affirmer une excellence qui sera généralement transposée dans la vie réelle par la suite. En ce sens, le contraire du jeu n'est pas l'activité *sérieuse,* comme on pourrait être enclin à le penser, mais la *vie réelle.*

Plus une personne avance dans son développement, plus le jeu décline en importance à ses yeux. Non parce qu'elle perd son âme d'enfant ou sa capacité de s'émerveiller, mais parce qu'elle est prête à actualiser son potentiel en ayant un véritable impact sur le monde qui l'entoure par le biais de ses réalisations. D'où le caractère anachronique, et à certains égards rebutant, qu'il y a à se retrouver plongé, par la présence d'un enfant, dans un monde qui n'a plus de résonance intérieure.

Cela n'empêche pas qu'il est important de jouer avec notre enfant... ou plus exactement de lui permettre de jouer. Car nous ne jouons pas vraiment avec lui. Nous lui fournissons un partenaire avec lequel il peut se mesurer ou collaborer, selon le cas. Mais l'essentiel de notre contribution est ailleurs. Elle est dans les indications que nous donnons à l'enfant, le cadre que nous lui fournissons et les encouragements que nous lui prodiguons. Plus globalement, elle réside dans la qualité du regard que nous posons sur la situation avec le souci de la rendre agréable et profitable.

C'est ainsi qu'à la table de jeu, sur la patinoire ou ailleurs, le parent se trouve investi du quadruple mandat d'être à la fois adversaire, arbitre, entraîneur et spectateur. Il fournit une opposition dosée à son enfant, voit à ce que les règles soient respectées, conseille l'enfant dans ses stratégies et applaudit à ses réussites. Cela, en étant animé par le souci constant de trouver le juste équilibre faisant du jeu à la fois une occasion d'apprentissage et un moment de plaisir.

31 Est-il bon d'assister aux activités de son enfant ou préférable de s'en abstenir pour ne pas le déconcentrer?

Il arrive que des lieux d'activités soient interdits aux parents sous prétexte que leur présence pourrait contribuer à dissiper leurs enfants. C'est le monde à l'envers! Non seulement la présence d'un parent ne devrait pas nuire au fonctionnement de l'enfant, mais elle devrait au contraire inciter ce dernier à se montrer encore plus discipliné. Il existe cependant des cas où, de fait, la présence du parent a l'effet paradoxal de désorganiser l'enfant. Celui-ci devient plus distrait, multiplie les pitreries, ignore les consignes, cherche à entrer en contact avec son parent, argumente avec lui, etc. Au point que la situation devient impossible à gérer.

On observe quelque chose d'analogue lorsque certains parents viennent chercher leur enfant à la garderie, à l'école ou au centre de loisirs. À peine sont-ils arrivés que l'enfant devient soudainement incontrôlable. Lui, qui encore quelques instants auparavant ne montrait aucun signe d'agitation, se met à courir en tous sens, à se rouler par terre, à crier, à bousculer les autres enfants, sans que l'on puisse faire quoi que ce soit pour l'arrêter. C'est le phénomène du parent «paravent»: l'enfant considère son parent comme un être inoffensif dont il n'a pas à respecter l'autorité; il sait par ailleurs qu'à partir du moment où le parent est présent, plus personne n'a autorité sur lui. Il se sert alors de son parent comme d'un écran qui le met hors d'atteinte des autres. Le parent est un facteur de désorganisation parce qu'il annule l'autorité des autres adultes tout en étant incapable d'imposer la sienne. C'est ce qui explique que sa présence donne lieu à des débordements si problématiques qu'ils peuvent conduire à des décisions d'exclusion.

Mais seule une analyse sommaire de la situation peut amener à conclure que la présence des parents est en soi perturbante et justifie certaines mesures — en réalité, ce n'est pas le cas. L'erreur ne serait pas grave si la présence des parents lors des activités de leurs enfants importait peu, mais cette présence est essentielle.

Les activités de loisir dirigé sont souvent les premières occasions qu'ont les enfants d'affirmer leur valeur et d'accéder à une certaine excellence. Mais ils ne peuvent y arriver sans l'aide de leurs parents. C'est une illusion de croire que l'on peut inscrire un enfant à une activité comportant des apprentissages gradués, puis attendre les résultats en se croisant les bras, surtout quand l'enfant est en bas âge. Dans la majorité des cas, les cours servent à montrer à l'enfant ce qu'il doit apprendre et à vérifier s'il l'a appris. Il y a un énorme espace entre les deux — que l'on nomme *intégration*. On peut mettre quelques minutes à comprendre une technique mais des heures pour la maîtriser. C'est entre le moment où l'on explique à l'enfant ce qu'il doit faire et le moment où l'on évalue ses acquisitions que se fait le véritable travail. Plus l'enfant est jeune, plus son écoute est approximative lorsqu'on lui explique quelque chose. Il a donc besoin de quelqu'un qui comprenne par procuration, le temps que ses facultés cognitives se développent. C'est au parent qu'il revient de faire le pont entre ce qui est expliqué et ce qui est exécuté en mettant sa faculté de compréhension à la disposition de son enfant de manière à lui permettre d'intégrer de façon satisfaisante ce qui doit être maîtrisé. Il est donc souhaitable que le parent soit témoin de ce qui est communiqué à l'enfant. D'où l'importance qu'il assiste aux activités de son enfant avec régularité, en résistant aux exclusions injustifiées, le cas échéant.

32 Jusqu'à quel point peut-on pousser un enfant à réaliser des performances?

« **Q**u'on laisse donc les enfants s'amuser!» disent en substance nombre de reportages dénonçant l'acharnement des parents à exercer une pression indue sur leur enfant pour qu'il soit le meilleur dans sa discipline. Et pour bien illustrer le propos, on nous montre une meute de parents déchaînés qui s'en prennent à tout ce qui bouge, enfant, arbitre, entraîneur, etc. L'effet est tellement saisissant qu'il ne peut qu'inciter à se rallier à ceux qui vantent les bienfaits de la «participation». Mais, ce faisant, nous abandonnons un travers pour en prendre un autre.

Les enfants n'ont pas besoin de la présence de leurs parents pour prendre leur jeu au sérieux. Si l'on s'approche d'un groupe de jeunes rassemblés dans la rue pour quelque compétition, on se rend vite compte qu'ils ne rient pas toujours. Les discussions animées auxquelles donne lieu le moindre litige tranchent singulièrement avec la bonhomie censée prévaloir lorsque les enfants sont soustraits à l'influence dite néfaste des parents. C'est que, pour un enfant, jouer revient toujours un peu à mettre en cause son intégrité. Et c'est encore plus vrai lorsque l'on passe des simples jeux informels à des activités de loisir dirigé. Alors que l'école prépare aux réalisations futures, les activités supervisées permettent aux enfants d'affirmer leur valeur de manière plus actuelle en accédant à une forme d'excellence ponctuelle. Les enfants ne s'inscrivent pas à une activité uniquement pour «s'amuser», mais aussi, et même surtout, pour *se réaliser* en développant des habiletés particulières. Les objectifs peuvent varier d'un enfant à l'autre. Certains enfants se satisferont d'une compétence consacrée par un grade, une cote ou un certificat. D'autres voudront porter cette compétence sur le terrain de l'émulation individuelle ou collective. C'est alors que les risques de dérapage sont les plus grands pour les parents.

Il est certain que le parent qui ne jure que par la victoire exerce une pression malsaine sur son enfant à qui il fait bien souvent porter ses propres aspirations. Mais celui qui ne met l'accent que sur la participation ne fait pas beaucoup mieux. Lorsque nous disons à un enfant que l'important est de participer, nous lui imposons une vision idéalisée de la réalité qui ne correspond en rien à ce qu'il ressent ni à ce qu'il connaîtra plus tard dans la vie. Il suffit de constater le peu de cas que les enfants font des médailles et des trophées attribués selon ce critère pour s'en convaincre. Le problème que pose cette façon de voir est qu'elle dispense l'enfant de l'obligation de faire les efforts nécessaires pour actualiser son potentiel. Le parent se contente de mettre l'enfant en situation en lui disant de faire son possible. Si bien que l'enfant risque fort de servir de faire-valoir à des compagnons plus performants et d'évoluer sur la base d'un sentiment d'échec permanent que, de surcroît, il ne peut exprimer, car on lui reproche alors son étroitesse d'esprit…

Entre le culte de la victoire et celui de la participation, il existe un juste milieu qui répond aux aspirations légitimes des enfants tout en respectant leurs limites. Nous devons communiquer aux enfants que l'important n'est ni de gagner ni de participer, mais de se montrer *compétitifs*. Pour que l'expérience qui consiste à se mesurer à d'autres enfants soit satisfaisante pour un enfant, il faut que sa préparation lui permette d'espérer obtenir un certain succès. Le rôle du parent est de le soutenir dans cette démarche, et d'en dire la valeur, indépendamment des honneurs recueillis.

33 Quelles raisons un enfant peut-il avoir de ne pas se sentir bien dans sa peau ?

Ironiquement, une condition essentielle pour qu'un enfant en vienne à être mal dans sa peau est la présence d'un parent. L'enfant délaissé ou négligé traînera son besoin d'être aimé tout au long de son existence. Mais il ne connaîtra pas les tourments dont fait l'expérience la personne qui est intérieurement tiraillée. Il faut avoir existé dans les yeux d'un parent pour éprouver ce genre de difficultés.

Lorsque l'enfant commence à bâtir son identité, il ne sait pas qui il est et il n'est pas outillé pour le découvrir seul. Il lui faut l'aide de ses parents pour y parvenir. Il se sert du regard que ceux-ci posent sur lui pour se fabriquer une image de lui-même. Il est important que les parents aient la disponibilité affective nécessaire afin de lui donner la réponse qu'il attend. Mais il faut aussi que ce soit la réponse adéquate. En d'autres termes, il ne faut pas que le regard du parent soit déformé par ses propres besoins.

Les problèmes existentiels apparaissent dans le contexte particulier où l'enfant est l'objet d'un amour conditionnel. Le parent est disposé à aimer l'enfant, mais seulement dans la mesure où il accepte d'être ce que lui a décidé qu'il serait. C'est un peu comme si le parent offrait à son enfant un portrait de lui dessiné à l'avance, en lui disant : «Mets de côté ce que tu es et organise-toi pour correspondre à cette image qui convient à mes propres besoins. Alors je te ferai vivre en moi. Si tu fais le choix d'être toi-même, je te rejetterai et te laisserai mourir intérieurement.»

Attention ! On ne fait pas ici référence aux exigences superficielles que les parents introduisent normalement dans le cadre de leur travail éducatif. S'il suffisait de donner une ligne de conduite aux enfants pour qu'ils la suivent, tous seraient des adeptes du rangement, de la musique d'ambiance et des repas santé. Pour qu'un enfant ressente l'urgence de se conformer aux demandes du parent, il doit être confronté à une violence émotionnelle qui ne peut émerger que dans le contexte où les attentes du parent comportent des enjeux vitaux pour ce dernier.

L'exemple type est celui du parent qui n'a pas réussi à la mesure de ses ambitions et impose à son enfant de le faire à sa place. Chaque fois que l'enfant échoue, il réactive une blessure à l'intérieur du parent, déclenchant un mouvement d'hostilité dont il est la cible innocente. Mais il n'y a pas que les parents en mal d'accomplissement qui sont sujets à des excès émotionnels de cette nature. Un autre exemple est le cas du père qui est incapable de tolérer que son garçon pleure parce qu'il doute de sa propre masculinité. Ou celui de la mère qui exige de sa fille qu'elle soit plus forte que nature pour pouvoir se décharger sur elle des responsabilités qu'elle-même est incapable d'assumer. Ou encore celui du parent qui reproche à son enfant de vouloir devenir indépendant parce qu'il ne peut accepter de se séparer de lui, ou qui lui reproche de chercher à s'affirmer parce qu'il est démuni devant son agressivité. Plus globalement, c'est le cas de tous les parents qui se soumettent à un idéal devenant pour eux la mesure du bien et du mal, et qui demandent à leur enfant de faire de même s'il veut représenter quelque chose à leurs yeux. Le message qu'ils lui transmettent est alors toujours essentiellement le même : «Si tu n'adhères pas à ce qui donne du sens à ma vie, tu ne mérites pas d'exister à mes yeux.»

Dans toutes ces situations, l'enfant n'a pas d'autre choix que de renoncer à être ce qu'il est, pour devenir ce que ses parents lui demandent d'être. Le garçon sensible se donne des allures de dur à cuire. La fille frivole se transforme en petite adulte responsable. L'enfant que ses parents ont voulu dépendant met en veilleuse ses aspirations à l'autonomie. Celui qu'ils ont rêvé docile renonce à mettre en jeu son agressivité. Celui qu'ils ont investi de la mission de défendre une cause la fait sienne même s'il sait quelque part en lui que là n'est pas son combat. Et ainsi de suite.

Mais ce n'est pas parce qu'un enfant fait taire en lui une partie de ce qu'il est qu'il cesse de l'être. L'enfant peut décider de faire abstraction de sa vulnérabilité ou de son agressivité, mais il ne peut décider de ne pas la ressentir. Le seul moyen qu'il a de s'en sortir est de se dissocier de la partie de lui-même qui n'a pas le droit d'exister. Si cette dissociation a lieu à un âge où l'enfant ne sait pas encore que tout ce qu'il vit lui appartient en propre, les parties acceptables et inacceptables de lui-même grandissent indépendamment l'une de l'autre dans sa tête et le divise en deux individus opposés l'un à l'autre : c'est le monde de la psychose. Dans le cas plus fréquent, quand la dissociation a lieu à un âge plus avancé, l'enfant ne peut plus mentalement nier que tout ce qu'il vit émane d'une seule et même personne : lui-même. Son seul choix est alors de repousser la partie interdite de lui-même le plus loin possible de sa conscience pour l'empêcher d'exister : c'est le monde de la névrose.

Les personnes qui éprouvent ce genre de difficultés se retrouvent rarement dans les bureaux de consultation durant leur jeunesse. Comme elles ont pris le parti de souscrire aux attentes de leurs parents, ces derniers ont plutôt tendance à être satisfaits de leur façon d'être. D'autant plus que, comme c'est notamment le cas chez les enfants qui épousent l'idéal parental, la contrainte intérieure qu'ils ressentent les conduit à des réalisations d'envergure que les parents ont tendance à considérer comme autant d'indices de leur épanouissement personnel. Les demandes d'aide viennent généralement beaucoup plus tard et sont initiées par la personne elle-même. Le fait de s'être développée en marge d'elle-même crée chez cette personne un malaise permanent dont elle ne parvient pas à comprendre la cause. Elle amorce alors un cheminement qui l'amène à découvrir qu'existe en elle un enfant malheureux dont les aspirations légitimes n'ont jamais été reconnues parce qu'elles étaient incompatibles avec celles de l'adulte qu'on l'a forcée à devenir.

34 On me dit que mon enfant manque d'estime de soi. À quoi fait-on référence et comment l'aider à la développer?

Mettons les choses en perspective en partant de ce que l'estime de soi n'est pas. On serait tenté de croire que celui qui ne manque pas une occasion de faire étalage de sa supériorité en vantant une de ses prouesses ou en exhibant sa dernière acquisition dispose d'une solide estime de lui-même. C'est pourtant le contraire. Lorsqu'une personne ressent la nécessité impérieuse de convaincre son entourage de sa valeur, c'est qu'elle n'est pas convaincue qu'elle en a une et qu'elle a besoin d'en chercher la confirmation dans le regard des autres pour se rassurer. Avoir une bonne estime de soi signifie être habité par la conviction intime que l'on a une valeur, ce qui permet d'évoluer sereinement sans ressentir l'urgence d'en faire la démonstration à tout moment et sans être à la merci du jugement de tout un chacun.

Une autre précision s'impose: éprouver de l'estime pour soi-même n'est pas s'aimer soi-même, mais avoir de la considération pour soi. La personne ayant de l'estime pour elle-même n'évolue pas en permanence avec le sentiment euphorisant qu'elle est quelqu'un d'exceptionnel. Elle sait qu'elle a une valeur, cherche à l'exprimer à travers ses réalisations et n'est satisfaite que lorsqu'elle y parvient. C'est alors seulement qu'elle a accès à un court moment d'intense satisfaction. En ce sens, l'estime de soi est le moteur de l'actualisation.

Cela dit, avoir de la considération pour soi-même, c'est plus que chercher à se réaliser. C'est se traiter avec égard, à la manière d'un parent avec son enfant. C'est avoir de l'indulgence envers soi, tenir compte de ses limites, ne pas se «surtaxer» pour faire plaisir aux autres, éviter de se donner en spectacle indûment, ne pas se mettre entre les mains de n'importe qui, tenir à distance les gens qui ne nous respectent pas, etc. En somme, c'est aussi prendre soin de soi.

Les intervenants des milieux éducatifs réduisent souvent l'estime de soi à une question de perception de soi et abordent conséquemment les problèmes qui y sont associés dans une perspective d'apprentissage : l'enfant n'a pas une bonne image de lui-même, il faut donc tenter d'y remédier en le valorisant et en l'encourageant de manière qu'il développe une image plus positive de lui-même ; dans cette logique, tout ce qui a l'allure d'une critique ou d'une punition est considéré comme une mauvaise chose parce que susceptible de renforcer l'image négative que l'enfant a déjà de lui-même. C'est une perspective simpliste et regrettable, car elle prive l'enfant du regard critique constructif, car réaliste, qui est nécessaire à son développement. Qui plus est, cette perspective est trompeuse : pour qu'un enfant acquière une bonne estime de lui-même, il n'est en effet pas suffisant de lui dire qu'il a une valeur, encore faut-il qu'il fasse l'expérience intime de cette valeur. Et pour cela, il doit y avoir quelqu'un à ses côtés qui, tout en le critiquant justement, lui communique l'impression permanente non pas qu'il est bon ou grand, mais qu'il est important. Quelqu'un qui l'encourage et lui donne les outils pour se réaliser ; qui le conduise à se respecter en adoptant des comportements, un langage, une tenue qui reflètent ce qu'il est en son for intérieur ; qui tienne compte de ses limites et soit attentif à ses souffrances comme à ses besoins ; enfin, qui l'empêche de se faire du tort ou de se mettre en situation d'échec, en l'encadrant fermement, voire en le punissant si nécessaire.

La sérénité qu'affichent généralement les enfants dès qu'ils quittent la chambre où nous les avions confinés à contrecœur, après les avoir réprimandés, tient à ce qu'ils établissent clairement la distinction entre ce qu'ils *sont* et ce qu'ils *font*. Ils retiennent de leur expérience qu'ils ont mal agi mais qu'ils sont aimés. C'est la répétition de cette expérience

positive, combinant juste critique ou punition, et amour, qui conduit graduellement les enfants à passer de la conviction qu'ils sont aimés à celle
qu'ils sont valables, et à agir en conséquence.

Peut-on critiquer un enfant
sans le détruire intérieurement ?

Il n'est jamais facile de regarder la réalité en face, même pour un adulte. Nous identifions beaucoup plus facilement les travers des gens qui nous entourent que ceux qui nous sont propres. Et nous ne sommes jamais à court d'excuses pour rendre compte de nos échecs et de nos déconvenues sans avoir à nous remettre en question. De là le dicton consacré voulant que l'on voie plus facilement la paille dans l'œil de notre voisin que la poutre dans le nôtre…

L'exercice est encore plus difficile à réaliser pour un enfant parce que sa capacité de porter un jugement éclairé sur son propre fonctionnement est embryonnaire. Contrairement aux adultes dont l'aptitude à se regarder évoluer existe même si elle est souvent défaillante, l'enfant, lui, manque naturellement de perspective, ce qui le dispose à se leurrer encore plus aisément sur lui-même. Il lui suffit d'enfiler le chandail de son équipe favorite pour être un grand sportif, de parler plus fort que les autres pour croire qu'il a raison. Il ne commet pas d'erreur, n'a jamais tort et n'a jamais fait quoi que ce soit de mal.

L'évolution vers la conscience de soi prend son véritable envol vers la sixième année, quand l'enfant accède à ce que l'on appelle l'âge de raison[9]. Mais si à ce stade l'enfant devient capable de voir la réalité telle qu'elle est lorsque nous la lui mettons sous les yeux, il n'est pas encore capable de la regarder de lui-même. Or, lorsque nous ne voyons pas la réalité de nos faiblesses et de nos limites, nous ne pouvons faire ce qu'il faut pour les dépasser. Et l'enfant à qui nous laissons croire que tout ce qu'il fait est bien développe la

---

9. Voir la question 29.

conviction qu'il est un être d'exception qui peut se contenter d'exister sans avoir à faire d'efforts pour acquérir une valeur. Au fil du temps, l'écart se creusera pourtant entre ce qu'il croit être et ce qu'il incarne dans la réalité, le plaçant dans une position intenable intérieurement. Il vivra alors dans la peur que l'on mette au jour son imposture et consacrera toutes ses énergies à convaincre les autres qu'il est ce qu'il n'est pas.

L'enfant doit savoir où il se situe pour mesurer la distance qui le sépare de ce qu'il veut devenir. Et c'est au parent qu'incombe la tâche ingrate de le mettre face à la réalité : « Ton résultat est bon mais insatisfaisant parce que tu n'as pas suffisamment étudié pour donner ta pleine mesure », « Il faut plus que porter un costume Ninja pour prétendre connaître le karaté », « Ton bricolage est moins réussi qu'il pourrait l'être parce que tu n'as pas tenu compte de mes indications », « Ce n'est pas être généreux que de donner un jouet brisé dont on ne veut plus », « Les gens que tu harcèles pour qu'ils écoutent tes histoires ne te trouvent pas intéressant mais exaspérant ».

Être ainsi placé face à soi est une expérience indisposante mais pas destructrice en soi, à moins que la critique soit formulée dans des termes haineux, ce qui n'est habituellement pas le cas. Le message du parent est rarement : « Je te critique parce que tu es méprisable. » Il est plutôt : « Je te critique parce que tu es important à mes yeux et je vais faire en sorte que ton fonctionnement soit moins critiquable en t'incitant à étudier davantage, en supervisant tes choix vestimentaires, en te guidant dans tes comportements, etc. »

Loin de détruire l'enfant, la critique est un des éléments indispensables à sa construction. Et s'il est important qu'elle vienne le plus souvent possible du parent, c'est parce qu'il est le seul chez qui l'enfant peut être assuré qu'elle constitue un geste d'amour.

Comment réagir à un enfant qui nous accuse de ne pas l'aimer ?

Rassurons d'abord les parents concernés. Pour qu'un enfant crie haut et fort qu'il n'est pas aimé, il faut qu'il se sente intimement convaincu du contraire. Se sentir rejeté est une expérience extrêmement douloureuse et la réaction des enfants qui en font l'épreuve consiste à la nier. C'est ce que fait le petit garçon qui voit son père lui faire défection à l'occasion de l'une de ses rares visites ; son premier réflexe est de lui trouver des excuses, quitte à attribuer la faute à sa mère. Ce n'est pas son père qu'il cherche alors à protéger, comme on pourrait le croire, mais sa propre intégrité. Il est incapable de faire face à la réalité que quelqu'un d'aussi important dans sa vie puisse lui témoigner aussi peu de considération. Et c'est parce qu'il est hors de question pour lui d'admettre qu'il n'est pas aimé qu'il est prêt à souscrire à n'importe quelle autre hypothèse pour justifier l'absence de son père.

L'enfant qui met en cause l'affection qu'on lui porte chaque fois qu'il est contrarié le fait généralement parce qu'il a décelé une vulnérabilité chez le parent dès qu'il est question de préjudice affectif, et qu'il tente de l'exploiter. Il sent que le parent est déstabilisé à l'idée que lui, l'enfant, se sente rejeté, ce qui le conduit à tenter d'infléchir les positions du parent en exprimant une détresse dont il ne fait pas véritablement l'expérience.

Le problème, bien souvent, est qu'à force de céder aux exigences de l'enfant pour lui prouver son affection, le parent finit par être tellement sollicité qu'il en est exaspéré. Il en vient alors à se montrer vraiment rejetant, ce qui lui donne mauvaise conscience et ne fait que le déstabiliser davantage face aux griefs de son enfant.

Quand nous sommes en relation avec un enfant, nous devons nous fier à ce que nous ressentons et non pas à ce qu'il nous dit que nous lui faisons vivre. Lorsqu'un enfant nous dit «Tu ne m'aimes pas» ou «Tu l'aimes plus (mon frère, ma sœur) que moi», ou encore «Personne ne m'aime», la question que nous devons nous poser est : «Est-ce vrai?» À partir du moment où il est clair pour nous que nos décisions et les gestes auxquels elles nous conduisent sont guidés par l'affection que nous portons à l'enfant et par la considération que nous avons pour lui, nous n'avons plus à nous soucier de ses récriminations, ni à nous perdre en justifications. L'enfant a déjà sa réponse.

Nous pouvons alors maintenir fermement notre position et adopter des moyens pour faire respecter nos exigences sans appréhender les contrecoups émotionnels. Parce que, bien plus que ce que nous disons et faisons, c'est ce qui motive nos gestes et nos paroles qui indique à un enfant qu'il est aimé.

Comment réagir à un enfant qui nous dit qu'il ne nous aime plus ?

L a capacité d'aimer des enfants est très relative parce qu'elle est déterminée par l'humeur du moment plutôt que par la valeur objective des personnes avec lesquelles ils sont en relation : nous sommes bon si nous les satisfaisons, nous sommes mauvais si nous les indisposons. En fait, les enfants confondent en grande partie les sentiments qu'ils éprouvent dans une situation donnée avec les sentiments qu'ils éprouvent pour la personne qui y est associée. Le garçon qui saute au cou de sa mère en lui disant « Je t'aime maman » après avoir obtenu le jeu vidéo qu'il attendait éprouve davantage de joie que d'amour. Le parent le comprend d'ailleurs d'instinct. C'est ce qui lui fait dire spontanément, au moment où il revient sur l'événement, « Il était content de son cadeau », plutôt que « Il m'aime beaucoup ».

Le même phénomène s'observe avec la haine, mais la violence des sentiments en cause le fait parfois perdre de vue. Le garçon pris en faute qui crie à sa mère « Je ne t'aime plus », au moment où elle lui indique le chemin de sa chambre, ne fait rien de plus qu'exprimer son dépit. Ses paroles sont dictées par l'état du moment et ne remettent aucunement en cause le lien d'affection qui l'unit à elle. Il n'y a donc pas lieu d'en tenir compte. Plus le parent en est conscient, moins il se sentira concerné par le déferlement de rage dont il est l'objet. Il y répondra plutôt par une saine légèreté qu'il pourra exprimer par une réplique du type : « C'est ça, à présent, va ne plus m'aimer dans ta chambre ! »

La situation est différente quand les propos de l'enfant ne sont pas tenus sous le coup de la colère mais sont exprimés de façon plus mesurée. C'est le cas de l'enfant qui caresse son chien devant sa mère en disant à celui-ci que c'est lui qu'il préfère, ou qui signifie à son père qu'il aime davantage sa mère que lui, et ainsi de suite. Il ne s'agit pas alors d'une explosion momentanée mais d'une manœuvre délibérée pour exercer un chantage émotif. L'enfant a pressenti une certaine vulnérabilité affective chez l'un de ses parents et il tente d'en tirer profit en monnayant son affection. Le danger est ici de s'engager dans une escalade de rejets mutuels dont personne ne sortira gagnant. Nous pouvons prendre le temps de sensibiliser l'enfant aux effets pernicieux qu'il y a à jouer ainsi avec l'affection des gens, mais il est peu probable que ce soit suffisant pour le dissuader de persister. La réaction la plus adéquate consiste à neutraliser sa stratégie, de toute façon inadaptée, en lui signifiant que nous ne voulons plus entendre ce genre de commentaire. Qu'il pense ce qu'il veut, mais qu'il le garde pour lui. Et s'il récidive, nous l'envoyons dans sa chambre. Pas parce qu'il ne nous aime pas, mais parce qu'il nous a désobéi. À ce stade, il est par ailleurs indiqué de le mettre temporairement à distance sur le plan affectif, fermement mais sans violence, afin qu'il soit davantage confronté à son propre besoin d'être aimé.

Les parents les plus susceptibles de perdre pied devant les attitudes rejetantes de leurs enfants sont ceux qui voient dans la maternité ou la paternité une occasion de recevoir l'amour dont ils ont été privés quand eux-mêmes étaient enfants. À ces parents-là, il faut rappeler que l'on ne met pas un enfant au monde pour être aimé de lui, mais pour en faire quelqu'un d'«aimable» au sens propre, c'est-à-dire qu'il fera bon d'aimer.

Comment peut-on couvrir un enfant 38 d'affection et ne recevoir en retour que mépris et désagréments ?

Il arrive régulièrement que des parents, heureux de mettre un enfant au monde et prêts à se consacrer entièrement à son bien-être, fassent l'expérience d'un désenchantement croissant. Loin de se réaliser, leur rêve d'une relation harmonieuse et mutuellement satisfaisante tourne graduellement au cauchemar. Ils ont beau se montrer affectueux, conciliants, à l'écoute des besoins de leur enfant, ils ne récoltent en retour que des crises, des reproches et de l'ingratitude. Le paradoxe est tellement confondant qu'ils en viennent à penser que le problème ne peut qu'être inscrit dans les gènes, alors que l'explication est tout autre.

Le problème de ces parents vient de ce qu'ils entretiennent de si grandes attentes par rapport à l'expérience de la paternité ou de la maternité qu'ils en arrivent, sans s'en rendre compte, à communiquer à leur enfant qu'ils ont plus besoin de lui que lui n'a besoin d'eux.

Prenons le cas d'un enfant qui constate que sa mère est plus empressée de l'amener au parc que lui d'y aller, est plus excitée à l'idée de lui préparer un bon repas que lui de le manger, prend si souvent l'initiative de le câliner qu'il en devient agacé, apparaît concernée dès qu'il manifeste des signes d'insatisfaction et souffre davantage de l'envoyer dans sa chambre que lui d'y être confiné, au point que, n'y tenant plus, elle le laisse sortir avant même qu'il en ait manifesté le souhait. Devant l'application qu'elle met à lui être agréable, l'enfant acquiert le sentiment persistant que, des deux, c'est lui qui donne le plus.

L'évidence objective de sa dépendance absolue face à sa mère est balayée par la conviction subjective qu'il est le véritable pourvoyeur et qu'elle lui est redevable. L'impression continuelle d'être celui qui apporte le plus dans la relation explique pourquoi l'enfant se sent lésé et est insatisfait. Il finit par considérer qu'il apporte tellement, du seul fait de son existence, qu'il ne faut rien lui demander de plus. Dès lors, la moindre exigence que nous avons envers lui ou la moindre frustration que nous lui occasionnons suscite une bruyante indignation.

À partir de là, la situation dégénère. L'enfant se montre de plus en plus ouvertement tyrannique et intolérant face à un parent dépassé qui tente tant bien que mal de le satisfaire, jusqu'à ce que, exaspéré, ce dernier se laisse aller à un geste inconsidéré qu'il a tôt fait de regretter, ce dont l'enfant ne manquera pas de se servir pour l'assujettir davantage.

La seule façon qu'a le parent de s'en sortir est de placer son enfant face à la réalité de son besoin. Et la seule façon qu'il a d'y arriver est de faire lui-même le deuil de ses propres attentes, quelles qu'elles soient. Il n'est pas facile d'y parvenir. Mais c'est à ce moment-là que tout se joue. Le parent doit renoncer à l'idéal parental d'une éducation sans contraintes, à l'espoir d'une complicité affective vécue dans l'harmonie relationnelle totale. Il doit se contenter de s'offrir à répondre aux besoins de son enfant – à la condition que ce dernier reconnaisse qu'il a besoin d'être aimé, reconnaisse aussi que son parent est le mieux placé pour répondre à ce besoin, et lui témoigne en retour respect et gratitude[10].

L'enfant va d'abord s'accrocher à sa conviction. Mais son besoin, dont il va prendre conscience grâce à la réserve relationnelle du parent, prendra rapidement le dessus et le forcera à se resituer sur le plan affectif. Le parent verra alors émerger un enfant plus congruent avec la situation réelle, à la fois plus ouvert à l'amour parental et davantage capable de faire ce qu'il faut pour le mériter, cet amour.

---

10. Voir la question 12.

Peut-on imposer des limites à un enfant tout en lui permettant de s'épanouir ?

L e courant de permissivité qui a influencé de nombreux parents au cours des dernières décennies était fondé sur une erreur de perspective. On espérait favoriser un développement plus harmonieux en laissant l'enfant libre de faire ce qu'il voulait. Mais un enfant ne fait pas ce qu'il veut, il fait ce que ses impulsions lui commandent. Les enfants veulent deux choses : ils veulent être aimés et ils veulent se réaliser. Mais ils n'ont pas atteint un niveau de développement suffisant pour orienter leur fonctionnement de manière à parvenir à leurs fins. Pour cette raison, laissés à eux-mêmes, ils sont condamnés à vivre une succession d'échecs et de rejets.

L'enfant désire plus que tout que les gens qui l'entourent reconnaissent sa valeur et apprécient sa compagnie, mais il est incapable de faire ce qu'il faut pour parvenir à cela. Il veut être le plus habile, le plus fort, le plus intelligent, mais quand vient le temps de réaliser les apprentissages nécessaires pour prétendre à une certaine excellence, ses impulsions l'orientent vers le plus simple, le plus court et le plus facile. Il souhaite que l'on reconnaisse ses qualités humaines, mais quand vient le temps de prêter un jouet, de laisser les autres parler, de tempérer un mouvement d'humeur, ses impulsions le font se conduire de manière égocentrique, impolie, voire violente.

L'enfant que nous laissons à lui-même n'est donc pas maître de ses actes, comme nous pourrions le croire, mais esclave de son impulsivité. C'est pourquoi il a besoin d'être encadré par quelqu'un qui fasse contrepoids à ses impulsions, non pour lui faire prendre un chemin tracé d'avance, mais plutôt pour lui permettre de maintenir le cap afin qu'il se rende au bout de celui qu'il a lui-même choisi.

40 Faudrait-il en revenir à la discipline d'antan pour limiter la permissivité d'aujourd'hui?

Quand ils constatent le peu d'encadrement dont les enfants sont l'objet de nos jours et les nombreux problèmes qui en découlent, certains parents ont la nostalgie de la rigueur d'antan et sont portés à idéaliser l'éducation telle qu'elle était dispensée dans le passé. Ils semblent perdre de vue que les parents d'aujourd'hui sont les enfants d'hier. S'ils avaient été si bien élevés, ils n'éprouveraient pas tant de difficultés à éduquer leurs propres enfants...

Il est vrai que la discipline occupe une place importante dans l'éducation d'un enfant, pour autant cependant qu'elle soit au service de son développement et non au service de ceux qui l'exercent. Quand l'objectif premier est d'assurer la tranquillité du père ou de la mère, de se soustraire aux critiques de l'autorité religieuse, de répondre aux exigences de la parenté ou d'impressionner le voisinage, la discipline, aussi efficace soit-elle, n'est pas d'une grande valeur parce qu'elle profite non pas à l'enfant, mais à ceux qui l'entourent.

C'est ce qu'ont vécu de nombreux enfants des générations antérieures, qui ont été soumis à des exigences et à des interdits qui ne respectaient ni leurs besoins ni leurs limites, car ils étaient édictés en fonction d'impératifs socioreligieux auxquels le développement harmonieux de l'enfant était étranger.

Ces enfants bien disciplinés mais peu aimés, peu considérés et peu respectés sont devenus des adultes en manque d'affection, habités par un besoin urgent d'affirmer leur valeur, et réfractaires à toute forme de coercition; puis, par voie de conséquence, des parents dépendants de l'affection de leurs enfants, physiquement peu présents parce que centrés sur leurs propres besoins et mal à l'aise dans l'exercice de leur autorité − autant de conditions qui pavent la voie à une trop grande permissivité.

Une discipline saine est une discipline qui est au service de l'enfant. À la différence de ce que certains ont pu vivre dans le passé, le message qui doit sous-tendre chaque propos, chaque geste disciplinaire n'est pas « Tu vas faire ceci parce qu'il le faut (indépendamment de ce que tu peux penser ou ressentir) », mais plutôt « Tu vas faire ceci parce que c'est ce qui est le mieux (en tenant compte de toi-même et des autres) ». Le parent s'adresse à l'instance qui est son homologue dans la tête de l'enfant et lui dit : « Voici mon évaluation de la situation présente, qui tient compte de ce que tu veux, de ce que tu vis, mais aussi des exigences de la réalité extérieure et de ce que les autres éprouvent autour de toi. Étant donné cette situation, je t'indique le meilleur aménagement possible et je vais m'organiser pour que tu agisses en conséquence, sachant que si ton état te le permettait, tu arriverais à la même conclusion que moi. » Il y a ce que nous aimons manger et ce dont notre organisme a besoin ; il y a le plaisir de sortir des jouets et la contrainte de les ranger ; il y a les vêtements que nous avons envie de porter et le temps qu'il fait ; il y a la médaille que nous convoitons et l'entraînement auquel il faut nous astreindre dans l'espoir de la conquérir ; il y a l'émission que nous voulons regarder et le travail ou les devoirs à faire. Il nous appartient de déterminer ce qui est préférable pour l'enfant, de le lui signifier et d'assumer la suite. Nous nous tromperons à l'occasion, mais les expériences que fera l'enfant gagneront largement en qualité.

Le problème des méthodes disciplinaires du passé tenait davantage à l'esprit dans lequel les éducateurs y recouraient qu'aux moyens qu'ils utilisaient. Les parents qui ne cherchent pas à « dresser » leur enfant de l'extérieur en le forçant à être ce qu'ils veulent qu'il soit, mais agissent sur lui de l'intérieur en mettant à contribution son jugement en gestation, peuvent exercer leur autorité en toute confiance. Ce que l'enfant gardera en mémoire, ce sont les multiples expériences satisfaisantes et enrichissantes qui auront jalonné son enfance, non la fermeté qui les aura favorisées.

Une approche éducative positive, privilégiant les récompenses, n'est-elle pas la plus appropriée ?

Les récompenses ont certainement leur place dans l'éducation d'un enfant. Elles servent à reconnaître ses mérites et à l'encourager à persévérer dans ses efforts. Mais si elles peuvent apporter un bon soutien à l'encadrement, elles ne devraient pas en constituer un rouage régulier. On recourt aux récompenses parce que l'enfant a bien fait, non pour l'inciter à bien faire.

Lorsque nous demandons à un enfant de faire quelque chose en lui expliquant pourquoi il est nécessaire qu'il le fasse, nous nous attendons à ce qu'il obtempère sans que nous ayons à lui promettre quoi que ce soit. Une fois qu'un enfant a compris qu'il faut se brosser les dents, faire ses devoirs, manger telle variété d'aliments, respecter les gens qui l'entourent, etc., nous nous attendons à ce qu'il agisse en conséquence. Et c'est ce qu'il fait dans la majorité des cas... si son état le lui permet.

Élever un enfant ne consiste pas seulement à agir sur ses comportements. C'est aussi, et même surtout, agir sur son *état*. L'erreur la plus courante en matière d'encadrement est de se centrer sur ce que l'enfant fait en négligeant l'état dans lequel il se trouve. Nous intervenons lorsqu'il se montre impoli ou a quelque écart de conduite en lui demandant de se comporter autrement, sans tenir compte du fait que c'est l'état dans lequel il se trouve qui le porte à agir ainsi et que si nous ne modifions pas cet état, nous ne réglons rien. L'enfant qui n'écoute pas, interpelle bêtement, s'oppose, transgresse, se comporte ainsi parce qu'il est dominé par son agressivité. C'est elle qui détermine sa façon d'agir. Nous pouvons lui promettre ce que nous voudrons pour qu'il agisse correctement ; tant que nous ne serons pas intervenu à la source du problème, nous n'obtiendrons pas de résultat satisfaisant. Nous parviendrons au mieux à l'inciter à abandonner un comportement déviant pour en adopter un autre.

Il nous faut donc intervenir sur son état pour modifier l'attitude qui le conduit à mal agir. Et nous ne pouvons le faire qu'en nous confrontant à lui. C'est à ce moment-là que les punitions entrent en jeu. Elles comportent à n'en pas douter une dimension dissuasive. Mais elles servent surtout à neutraliser l'enfant pour l'empêcher de se faire du tort à lui-même. C'est le cas du confinement dans la chambre qui vise à mettre l'enfant entre parenthèses, le temps que son état le rende accessible à des échanges salutaires dont il sera le premier à bénéficier.

Le système de récompenses ne fonctionne à peu près jamais parce qu'il ne fait pas le poids devant l'anarchie pulsionnelle. L'enfant veut la récompense, mais il est trop détérioré intérieurement pour faire ce qu'il faut pour l'obtenir. Il en est frustré, ce qui le désorganise davantage. Mais même dans les cas où les récompenses conduisent à une amélioration du fonctionnement de l'enfant, leur pertinence fait question. Nous devons en effet nous inquiéter du type de message que nous transmettons aux enfants lorsque nous acceptons de les rétribuer pour qu'ils agissent adéquatement. Plus grave encore : quel genre de lien établissons-nous avec un enfant que nous devons payer pour qu'il s'adresse poliment à nous parce que le respect que nous lui inspirons n'est pas suffisant pour l'y inciter ?

Par ailleurs, le but du développement n'est pas que l'enfant en vienne à bien se comporter parce qu'il craint des représailles ou espère une récompense. Il est qu'il en vienne à faire le mieux tout simplement parce que c'est ce qui est préférable, indépendamment de ce que cela lui évite ou lui rapporte. Et pour cela, l'enfant a besoin de connaître un état où il est aimé et guidé vers l'éveil de sa conscience. C'est sa capacité d'agir avec discernement qui est garante de son bon fonctionnement.

Les récompenses comme les punitions s'apparentent à des pro-
thèses ponctuelles qui ont en soi peu de valeur sur le plan du développement. Nous y recourons pour favoriser un fonctionnement approprié chez l'enfant cependant que nous nous livrons au véritable travail
éducatif : faire émerger chez l'enfant l'aptitude à voir plus loin que
l'émotion du moment et développer sa capacité d'agir en conséquence.

42 Quelle est la clé d'un bon encadrement?

Bien encadrer un enfant, c'est faire ce qu'il faut pour qu'il se comporte bien de suite, tout en le préparant à prendre plus tard la relève du parent que nous sommes.

Dans la tête de l'enfant et dès son tout jeune âge, une petite voix lui dit qu'il ne peut pas tout s'approprier, qu'il faut se soigner, que le prix de certains jouets est inabordable, que l'on ne peut savoir sans apprendre, etc. Cette petite voix est celle du parent intérieur[11] qui fait timidement ses premiers pas à l'intérieur de l'enfant et n'en mène pas large face au raz de marée pulsionnel qui envahit le champ de conscience dès qu'un besoin se fait sentir ou qu'une contrariété surgit.

L'enfant comprend qu'il est préférable de ne pas manger avant le repas pour ne pas se couper l'appétit et priver son organisme de l'apport nutritif équilibré dont il a besoin. Il le comprend… tant qu'il n'a pas faim. L'enfant endosse volontiers l'idée qu'il est nécessaire de partager des jouets… tant que personne ne touche à celui qu'il convoite. L'enfant reconnaît l'importance de faire ses devoirs… tant qu'il ne se retrouve pas devant sa table de travail. L'enfant accepte de cesser de fréquenter l'ami malicieux qui ne manque pas une occasion de le tourner en ridicule… jusqu'à ce que celui-ci l'invite à essayer son nouveau jeu électronique. Ce que le parent dit est entendu par la partie de l'enfant qui est sensible aux exigences de la réalité et qui agit pour lui à la façon d'un interlocuteur intérieur. Mais plus la pression exercée par les besoins est grande, plus l'enfant devient sourd à cette voix qui leur fait obstacle.

---

11. Voir la question 29.

Deux constats se dégagent, qui devraient guider le parent dans sa mission éducative : il dispose d'un allié à l'intérieur de l'enfant, mais il ne peut se fier à lui pour prendre les choses en main dans l'immédiat. À partir de là, la tâche du parent est double : il doit alimenter la conscience de l'enfant en lui montrant ce qui est préférable, de manière à faire grandir son parent intérieur, et il doit en même temps faire contrepoids aux impulsions qui animent l'enfant parce que sa responsabilité ne se limite pas à montrer à l'enfant ce qui est préférable, mais à s'assurer qu'il le fasse. Le parent doit donc expliquer et agir. Telle est la clé d'un bon encadrement.

Pratiquement, nous devons prendre le recul nécessaire pour mettre en perspective le besoin exprimé par l'enfant et déterminer ce qui est préférable pour lui. Nous en venons ensuite à l'explication qui nourrit sa conscience : « Tu ne peux pas sortir parce que... », « Tu dois céder ce jouet, car... », « Je ne peux pas te donner ces friandises parce que... », etc. Si le travail de conscience ne se fait pas et que l'enfant poursuit sur sa lancée, nous devons utiliser les moyens dont nous disposons pour neutraliser ses débordements (confinement dans la chambre, confiscation d'un jouet, etc.). Lorsque l'enfant sera redevenu accessible, le parent mettra de nouveau sa conscience à contribution. Plus à même de voir la réalité en perspective, l'enfant devrait pouvoir convenir que ce qui était exigé était le plus approprié. Ce travail de conscience, réalisé avec constance, donnera plus de poids au témoin intérieur de l'enfant qui finira par avoir raison de la prédominance des pulsions. L'encadrement n'aura plus alors sa raison d'être. Le parent qui existe à l'intérieur de l'enfant aura pris le relais.

TROISIÈME PARTIE

L'ENFANT, SES PROBLÈMES ET CEUX QU'IL POSE AUX AUTRES

■

Notre petit garçon refuse que son père s'occupe de lui... Que faire ?

Il est important de ne pas céder à cette exigence lorsqu'elle est sans fondement apparent, parce qu'elle est motivée par de mauvaises raisons et qu'y accéder risque d'avoir des conséquences néfastes sur le développement de l'enfant. Lorsque l'on assiste à ce genre de glissement vers une relation d'exclusivité, c'est en général que l'enfant, aussi bien que le parent, y trouve son profit :

- D'abord, il n'est pas toujours facile de freiner les élans de toute-puissance des enfants, qui perçoivent la réalité comme un irritant inutile dont ils ne devraient pas avoir à tenir compte. Certains parents trouvent éprouvant de devoir se confronter à leur enfant parce qu'ils se sentent coupables de l'opprimer ou en danger de perdre son affection. Les enfants ne sont pas longs à identifier le parent le moins résistant et peuvent développer le réflexe de rechercher sa proximité dès qu'ils ont un besoin à satisfaire.

- Chez le parent, être ainsi désigné par l'enfant comme étant la seule personne habilitée à répondre adéquatement à ses besoins peut donner lieu à des sentiments partagés. Il est bien sûr astreignant d'être celui ou celle qui se retrouve en première ligne dès qu'un problème surgit, qu'il s'agisse de terreurs nocturnes, d'un «bobo» à soigner, ou simplement de faire couler le bain ou préparer le repas ; mais, en même temps, se sentir investi d'une importance aussi considérable peut être vécu comme hautement satisfaisant, au point de faire perdre de vue la condition d'asservissement pourtant réelle à laquelle on se trouve réduit et dont on est susceptible de subir les contrecoups un jour ou l'autre.

Une attitude complaisante face aux caprices de l'enfant, même momentanée, peut rapidement conduire à une polarisation des rôles et reléguer l'un des parents au rang de figurant. L'intimité relationnelle ne pouvant s'établir avec ce parent, l'enfant ressentira de plus en plus l'implication de ce dernier comme une intrusion menaçante et y réagira de plus en plus négativement. Quant au parent exclu, il interprétera le comportement de son enfant comme un rejet et aura tendance à prendre ses distances face à lui ou, pire, à le prendre en aversion, le privant d'une affection dont l'enfant a pourtant un grand besoin.

Le rétablissement d'une situation affective plus équilibrée exige avant tout une prise de conscience. Chacun des parents doit réaliser que dans la situation évoquée, l'enfant n'est pas guidé par son *affection* mais par son *intérêt*. Le jeune enfant est peu sélectif dans ses affections. Il est au départ un être qui a besoin d'être aimé beaucoup plus qu'un être capable d'aimer[12]. Il veut être aimé par son père autant que par sa mère, et ce sont des impératifs autres qu'affectifs qui l'amènent à trancher en faveur de l'un ou de l'autre. Si le parent sollicité comprend que l'attachement excessif dont il est l'objet tient au contrôle que l'enfant exerce sur lui plus qu'à de l'amour, il sera moins empressé d'y répondre. Et si le parent exclu voit que ce qu'il perçoit comme du rejet n'est en réalité qu'une stratégie inappropriée qu'utilise l'enfant pour maîtriser son environnement, il sera moins enclin à s'en éloigner sur le plan affectif.

Les deux parents seront alors dans une meilleure disposition d'esprit pour passer à la seconde étape qui consiste à normaliser les rapports en tenant compte des disponibilités naturelles de chacun plutôt que des exigences tyranniques de l'enfant. Dans un premier temps, celui-ci va se braquer pour ne pas avoir à faire l'effort de s'adapter. Mais si les parents maintiennent qu'ils ne le laisseront pas dicter leur

---

12. Voir la question 37.

ligne de conduite, ils verront en peu de temps la détresse orageuse de l'enfant céder la place à une ouverture affective sans réserve dont il sera le premier à bénéficier.

44 Mon enfant accepte difficilement de me quitter. Est-il trop attaché? Est-ce l'angoisse de séparation?

Que l'on ne s'y trompe pas. La difficulté qu'éprouve un enfant à se séparer n'est jamais causée par un excès d'affection. L'enfant porte en lui le lien qu'il établit avec son père et sa mère. Il n'a pas besoin d'être constamment près d'eux pour faire l'expérience de ce lien. Il s'en sert plutôt comme d'un appui pour s'ouvrir au monde. Plus un enfant est confiant dans la permanence de l'amour qu'on lui témoigne, plus il peut se séparer sans crainte afin d'explorer de nouvelles relations.

Les problèmes émotionnels posés par la séparation sont toujours associés à l'expérience d'un danger. C'est pourquoi on parle d'«angoisse» de séparation plutôt que de «chagrin» de séparation; par exemple: l'enfant veut demeurer avec son parent non pas parce qu'il l'aime, mais parce qu'il a *peur*.

Le phénomène est normal en bas âge lorsque quitter les bras du parent signifie s'aventurer dans un monde incompréhensible. Entre 8 et 18 mois, l'enfant a assez de ressources pour comprendre qu'il va vers l'inconnu, mais pas assez pour l'intégrer mentalement avant d'y être exposé et, ce faisant, le percevoir comme familier. D'où sa grande réactivité face aux sollicitations intrusives. En vieillissant, l'enfant devient graduellement capable d'anticiper ce qui se prépare, et ainsi d'apprivoiser les situations nouvelles. Savoir à l'avance ce qu'il va vivre lui permet de calmer ses appréhensions et d'évoluer vers une sécurité relative. Lorsque cette évolution ne se fait pas et que l'angoisse persiste, c'est que l'enfant est habité par une peur irrationnelle que l'absence de danger objectif ne suffit pas à apaiser. Comment un tel sentiment peut-il émerger? L'illustration clinique qui suit devrait en donner un aperçu.

Une mère se présente en consultation avec sa fille de sept ans qui réagit très mal aux séparations, notamment quand vient le temps d'aller à l'école. Elle en est rendue à devoir aller la conduire jusqu'à sa classe pour éviter qu'elle fasse une crise. Elle se dit très proche de sa fille, qu'elle décrit comme étant concernée par tout ce qui lui arrive: «Elle est branchée sur moi», dit-elle, c'est à cette proximité affective qu'elle attribue la grande réactivité de sa fille aux séparations.

À l'examen, on est d'abord face à une petite fille inhibée, figée dans son attitude, qui paraît dominée par une grande anxiété. Elle aurait souvent cette attitude à l'école. Mise en confiance, elle change radicalement de façon d'être. Elle devient plus affirmative, voire autoritaire. Elle prend visiblement plaisir à aborder des thèmes horrifiants (morts-vivants, sorcières, sang) et elle exprime une forte agressivité par le biais de dessins et de jeux, surtout lorsqu'elle met en scène la relation qu'elle a avec sa mère. Cette dernière confirme que sa fille est constamment intolérante et tyrannique avec elle, qu'elle a tendance à se montrer impolie, voire à la dénigrer à l'occasion. On est loin de la complicité affective évoquée en début d'entretien. La fillette est parallèlement sujette à faire des cauchemars dans lesquels elle voit sa mère en danger de mort. Elle exige, pour être rassurée, de dormir dans le même lit que sa mère. En poussant l'exploration plus loin, on apprend de la mère qu'elle est une personne anxieuse qui voit les dangers partout; tout au long de son enfance, elle a été terrorisée par un père violent qui lui tenait des propos du genre «Tu es la prochaine sur ma liste»; elle a par la suite épousé un homme hostile duquel elle a dû se séparer peu après la naissance de sa fille; enfin, elle dit se sentir démunie devant l'agressivité des gens, y compris devant celle de son enfant. Nous disposons à présent de toutes les pièces du puzzle.

Si les enfants qui réagissent fortement aux séparations ont peur, en dépit de l'absence de dangers réels, c'est bien souvent que nous leur avons communiqué précocement la conviction que le monde autour d'eux est peuplé de dangers, sans qu'ils puissent ni identifier ces dangers ni y faire face. L'enfant vit et grandit alors dans un climat d'inquiétude, sous le regard d'un parent qui n'est capable ni de le protéger ni de le rassurer. La certitude que le monde est dangereux génère chez lui une anxiété paralysante qui l'empêche de mettre son agressivité à contribution pour maîtriser le monde à sa façon ; son seul recours consiste alors à orienter son agressivité vers la personne qui a induit cette croyance, parce qu'elle apparaît, elle, inoffensive.

Dans l'exemple évoqué, la fillette a évolué dans un contexte anxiogène sans jamais être elle-même véritablement prise à partie. Percevant le monde extérieur comme grandement menaçant, elle se fige lorsqu'elle y est confrontée, sans être capable de s'affirmer sainement. Elle canalise son agressivité réprimée sur sa mère qu'elle fait indûment souffrir, et elle en subit les contrecoups intérieurement, en éprouvant des tensions qui s'expriment à travers ses cauchemars.

Les problèmes d'insécurité posés par les enfants qui n'ont pas été l'objet de traitements abusifs tiennent généralement à la vulnérabilité du parent qui constitue leur principale référence affective. L'amélioration de leur condition passe donc par l'aptitude du parent à surmonter sa propre insécurité et à faire la preuve, d'abord, qu'il est capable de faire face à son enfant et, ensuite, qu'il est capable de le protéger des dangers auxquels il est susceptible d'être exposé. Dans le cas rapporté ici, l'évolution de la mère vers une attitude plus affirmée devant sa fille, une meilleure écoute de ses préoccupations et une plus grande implication face aux situations anxiogènes ont permis d'assainir la relation entre les deux, c'est-à-dire, notamment : de voir émerger une authentique complicité, de réduire sensiblement l'anxiété et d'éliminer la résistance aux séparations.

En moins de trois semaines, la fillette que l'on croyait condamnée à vivre dans un monde de peurs a été capable de se rendre seule à l'école sans manifester d'appréhension. Ses cauchemars ont cessé et elle a accepté de dormir seule. Fait plus surprenant encore, elle qui avait toujours été une élève modèle a commencé à ramener des rapports d'indiscipline à la maison et à obtenir des résultats scolaires insatisfaisants. À la grande joie de sa mère qui, devenue consciente que l'attitude exemplaire de sa fille avait toujours été motivée par la peur, ne pouvait qu'être heureuse de la voir capable de se permettre d'être quelque peu imparfaite, sans pour autant perdre de vue la nécessité d'éviter la complaisance face à ses écarts de conduite. L'évolution de cette petite fille vers une plus grande affirmation de soi et la revendication de son autonomie s'est poursuivie par la suite. Cette mère a ainsi pu vérifier par l'expérience que c'est paradoxalement en *se rapprochant* de son enfant qu'on l'aide véritablement à *prendre ses distances*.

45 Pourquoi un enfant développe-t-il des tics ou des manies et comment l'aider à s'en défaire?

Distinguons d'abord le tic de la manie. Le *tic* se présente comme une activité musculaire involontaire sans but fonctionnel. Il peut s'agir de cligner des yeux, de bouger la tête de côté, de contracter une partie du visage, etc. Il apparaît dans un contexte où une personne fait l'expérience d'une forte tension qu'elle est incapable d'évacuer par les voies usuelles, c'est-à-dire par des gestes appropriés qui lui permettraient de s'en libérer.

Les lanceurs, au baseball, et les gardiens de but, au hockey, en ont fréquemment parce que leurs fonctions ont la particularité exceptionnelle de générer un maximum de tension tout en requérant une économie de gestes. Dans de telles situations, la pression ressentie commande impérativement une activité motrice qui ne trouve aucune expression parce que la personne doit demeurer en parfait contrôle d'elle-même. Il se produit alors un débordement musculaire qui utilise des voies dérivées : les tics.

Les *manies,* au sens où nous les entendons ici, se différencient des tics en ce qu'elles relèvent d'une activité clairement volontaire, mais exécutée machinalement. L'habitude de se ronger les ongles, de jouer avec ses cheveux, de s'éclaircir la voix, d'ajuster compulsivement ses lunettes, de toucher sans raison sa montre ou son collier en sont des exemples. Ce sont des stratégies peu élaborées auxquelles nous avons recours pour composer avec un malaise intérieur sans perdre contenance.

Les tics et les manies vont parfois de pair. Le cas du gardien de but dont le tic consiste à secouer la tête sans arrêt, et dont la manie consiste à frapper les poteaux dès qu'il n'est pas en situation de jeu, l'illustre bien. Dans la vie courante, l'incidence des tics et des manies est généralement moindre ; ils se confondent à l'apparence générale des individus sans qu'on les remarque.

Leur présence chez les enfants n'est pas nécessairement révélatrice de grandes difficultés, mais elle constitue un signe d'alerte qu'il est important de ne pas ignorer. Notre premier réflexe, quand nous voyons une manie ou un tic persistant au point d'en être agaçant chez un enfant, est de lui signifier d'arrêter. Dans le cas du tic, l'enfant est incapable d'obtempérer. Quant à la manie, il peut à la rigueur y mettre un terme, mais ce sera en général pour la remplacer immédiatement par une nouvelle manie, et il en sera ainsi tant que le malaise qui en est à l'origine persistera.

Le parent ne doit pas considérer que son enfant a un problème parce qu'il plisse le front sans arrêt ou parce qu'il touche ses oreilles à tout instant, mais plutôt qu'il plisse le front et touche à ses oreilles parce qu'il a un problème. Le tic et la manie sont des solutions, inadaptées certes, mais elles sont ce dont dispose l'enfant pour composer avec ce qu'il vit de difficile à ce moment-là de sa vie.

Le fait que le tic ou la manie soit plus ou moins dérangeant ne doit pas entrer en ligne de compte. À partir du moment où ils apparaissent, il y a lieu de croire que quelque chose cloche quelque part, et d'intervenir en conséquence. Quand nous regardons qui sont ces enfants régulièrement envahis par des tics et des manies de toutes sortes, nous constatons que, à tort ou à raison, ils ont acquis précocement la conviction qu'ils devaient se débrouiller seuls avec leur détresse émotionnelle ; ils ont survécu comme ils ont pu aux environnements hostiles auxquels ils ont été confrontés avec, au bout du compte, les séquelles que nous avons sous les yeux.

Pour aider l'enfant dans ces circonstances, il nous faut d'abord établir la qualité de notre présence auprès de lui et réagir à l'intensification des indices de malaise qu'il présente ; non pas en lui disant d'arrêter, mais plutôt en explorant avec lui ce qui en est la cause et en lui offrant le soutien nécessaire pour l'avenir afin de régler progressivement la situation.

Imaginons par exemple que le parent remarque qu'au retour de l'école son enfant est plus maniéré que d'habitude. Au lieu de lui intimer de cesser ses simagrées, il lui demande ce qui n'a pas été. Les enfants cherchant toujours à tenir le plus loin possible de leur conscience ce qu'ils vivent de désagréable, l'enfant répondra qu'il n'y a rien. Le parent doit alors le mettre face à un choix clair, ou bien il n'y a effectivement rien et il se calme, ou bien il y a quelque chose et il le dit. Devant la persistance probable des expressions de malaise et l'entêtement tout aussi probable de l'enfant à nier ses difficultés, le parent doit sévir et envoyer son enfant dans sa chambre au besoin, le temps qu'il retrouve la mémoire et lui confie ce qui ne va pas. Le parent doit ainsi faire pression sur l'enfant chaque fois que cela est nécessaire en lui donnant à entendre qu'il est là pour l'aider, qu'il le veuille ou non, et que pour ce faire, il doit savoir ce qui s'est passé. Une fois la situation éclaircie (rejet, menace, injustice, etc.), le parent peut amener l'enfant à mieux voir ce qui s'est produit et prendre les moyens pour le dégager de la situation éprouvante (téléphoner au professeur, etc.).

Être apaisé et soutenu de manière répétée lorsqu'il se trouve en difficulté sur le plan affectif aura pour effet de diminuer le niveau de tension de l'enfant, si bien que les expressions manifestes que sont les tics et les manies disparaîtront.

Mon enfant fait des cauchemars.
Quelle peut en être la cause ?

Au-delà des multiples considérations quant à sa symbolique et son interprétation, le phénomène même du rêve est assez simple à comprendre. Au moment où nous nous endormons, nous sommes habité par des préoccupations qui sont en rapport avec des expériences passées ou à venir engendrant des émotions d'intensité variable. L'empreinte émotionnelle demeure plus ou moins vive au cours de la nuit qui suit et est à l'origine de l'élaboration de scénarios que le changement d'«engrenage» cérébral, associé au sommeil, rend fantaisistes, voire apparemment dénués de sens.

Comme l'information n'est plus organisée de manière active ainsi qu'elle l'est à l'état de veille, les émotions se trouvent associées à des images qui en rendent bien compte mais n'ont pas nécessairement de rapport avec la situation réelle qui en est à l'origine. D'où la nécessité d'une forme d'interprétation s'appuyant sur des constantes thématiques ou symboliques. Se sentir coupable d'une faute peut, par exemple, produire une succession de scénarios disparates mais comportant tous l'expérience effective ou appréhendée d'un châtiment.

Le rêve devient cauchemar lorsque la trame émotionnelle relève de l'anxiété. Son expression est généralement spectaculaire chez les enfants, car ces derniers réagissent beaucoup sur le plan moteur. Les enfants ont en effet un sommeil plus agité que les adultes ; l'état des couvertures au réveil suffit à nous en convaincre. Leur niveau de développement cérébral ne leur permet pas de contenir ce qu'ils vivent ; il en résulte des êtres naturellement plus impulsifs et exubérants. C'est cette même particularité qui les dispose aux débordements moteurs nocturnes s'apparentant au somnambulisme et aux paniques qui accompagnent les cauchemars. Il n'est pas surprenant qu'un enfant fasse à l'occasion un mauvais rêve, à la suite d'une forte peur par exemple. Cet état éprouvant ne commande aucune autre intervention que la sollicitude spontanée avec laquelle nous répondons généralement aux expressions de détresse des enfants ; ainsi pris en charge, il ira en s'atténuant.

Un enfant impressionnable sera sujet à des cauchemars plus fréquents. Une disposition à l'anxiété rend en effet l'enfant plus réactif. Un rideau flottant au vent dans la pénombre peut provoquer chez lui une secousse émotionnelle d'une amplitude suffisante pour que l'onde de choc se fasse encore sentir tard dans la nuit et provoque l'entrée en scène de monstres terrifiants.

Il existe par ailleurs des enfants peu anxieux de nature qui connaissent pourtant un sommeil tourmenté. Au moment où ils s'endorment, ces enfants-là se trouvent régulièrement transportés dans des lieux peuplés de dangers où tout est conflit, affrontement, violence et destruction. On les entendra soudain argumenter en pleine nuit, lancer des invectives ou crier leur désarroi dans le vide. On les verra parfois se dresser brusquement dans leur lit ou balayer l'air de leurs mains. Si l'expérience devient intolérable, l'enfant se réveillera en proie à une forte agitation. À moins que le parent, jugeant bon d'intervenir, ne mette fin à l'expérience pénible de son enfant en le tirant de son sommeil.

Quand un enfant se retrouve en situation de détresse nocturne de façon répétitive, c'est l'indice qu'il se trouve aux prises avec de fortes tensions intérieures qui demandent à être identifiées et dénouées. Le meilleur candidat à ce genre d'expérience est l'enfant qui, la journée durant, est hors de contrôle, et qu'on laisse évoluer au gré de ses impulsions. Il s'oppose à tout, argumente continuellement, ne tolère pas les frustrations et se montre agressif à la moindre contrariété, de telle sorte qu'il se retrouve toujours impliqué dans des rapports d'hostilité mutuelle. Il en résulte un malaise intérieur permanent qui est à l'origine des états de rêve éprouvants.

Le cauchemar devrait constituer un signe d'alerte pour le parent, l'indication que son enfant se sent menacé dans son intégrité au sein même de son univers personnel. Lorsqu'il s'agit d'un phénomène isolé, il n'y a pas lieu de se formaliser outre mesure. Un film d'horreur peut susciter un état anxieux volatil, de la même manière qu'une querelle peut provoquer un trouble intérieur passager. Mais quand les expériences de détresse nocturne se répètent, il est important de s'y arrêter.

Dans le cas de l'enfant qui présente une disposition à l'anxiété, les cauchemars ne font que confirmer l'ampleur d'une vulnérabilité manifeste qui revêt par ailleurs toutes sortes d'expressions : une insécurité chronique, des difficultés d'adaptation à l'école ou à la garderie, des phobies multiples, voire le recours à des rituels conjuratoires, principalement au moment du coucher. Les problèmes auxquels ces enfants sont confrontés s'inscrivent dans une perspective plus globale que quelque cauchemar passager. Ils traduisent une anxiété généralisée qui commande une investigation approfondie.

Dans le cas plus fréquent où les rêves servent d'exutoire à de fortes tensions, c'est la capacité du parent à maintenir son enfant dans un état émotionnel convenable qui est en cause. Plus l'encadrement mis en œuvre favorise des échanges sains avec l'environnement, à l'extérieur comme à la maison, plus les débordements nocturnes diminueront d'amplitude.

Le parent doit s'arrimer à ce que vit quotidiennement son enfant pour orienter son évolution de façon optimale. Dans cette perspective, le rêve peut être considéré comme une sorte de baromètre qui permet de mesurer les fluctuations de fond de la condition émotionnelle de l'enfant et de choisir les attitudes les plus appropriées pour redresser la situation au besoin.

47 Mon enfant a subi un traumatisme. S'en remettra-t-il ?

Il n'est pas rare qu'un parent fasse référence, en cours de consultation, à un incident dramatique survenu dans le passé de son enfant (une agression sexuelle, un acte de violence, un accident), dont ce dernier aurait été victime ou témoin et qui pourrait, selon le parent, rendre compte des problèmes actuels de l'enfant. Le parent s'appuie sur la croyance populaire voulant qu'un événement puisse être suffisamment marquant pour affecter la santé mentale d'une personne. Cette idée a été largement exploitée au cinéma. L'intrigue est toujours à peu près la même : une personne a vécu un drame durant son enfance, que des retours en arrière habilement enchevêtrés nous permettent graduellement de reconstituer, et elle doit s'en affranchir pour trouver son équilibre. C'est simple, c'est clair et… c'est faux.

Un enfant se construit à partir de milliers d'expériences qui, telles des pierres scellées les unes dans les autres, constituent sa mosaïque intérieure. Plus il baigne dans un milieu sain, plus ses fondations seront solides et capables de résister à une secousse émotionnelle, si violente soit-elle. Un événement traumatisant peut s'avérer déstabilisant pendant quelques jours, voire quelques semaines. Mais il ne peut à lui seul affecter l'équilibre général d'une personne. Pour que celle-ci soit suffisamment atteinte dans son intégrité et en garde des séquelles, il faut qu'elle ait été vulnérable au départ. Un traumatisme ne peut que mettre en évidence des difficultés déjà existantes. S'y arrêter ne permet pas d'expliquer les problèmes mentaux d'un individu. S'en libérer ne permet pas de les régler.

Imaginons le cas d'un garçon qui présenterait un déséquilibre émotionnel persistant depuis qu'il a assisté au suicide de son père. Dans une situation aussi dramatique, on serait tenté d'attribuer le désordre mental de l'enfant au choc subi. L'examen nous révèle pourtant que c'est la précarité de la condition psychologique de l'enfant qui le disposait à connaître un tel effondrement. Ce qui s'est avéré le plus dommageable pour lui n'est pas tant d'avoir vu son père s'enlever la vie que d'avoir, pendant des années, eu pour interlocuteur relationnel privilégié une personne suffisamment perturbée pour vouloir mourir.

La même logique s'applique aux situations d'agressions sexuelles. Ce n'est pas tant la nature des gestes faits qui en détermine la portée à long terme que le degré de santé mentale de celui ou celle qui les subit. Dans cette perspective, le fait que l'acte soit commis par l'un des parents plutôt que par un étranger ajoute à sa gravité. Non parce que cela rend l'acte plus immoral, mais parce qu'il met alors en cause l'un des artisans principaux du développement de l'enfant qui ne peut que s'en trouver fragilisé. On peut donc s'attendre à ce que, à partir de là, en plus d'être durement éprouvé par les gestes faits à son endroit, l'enfant n'ait pas les ressources pour se remettre, ce qui a moins de risques d'être le cas lorsque l'agression met en cause un étranger.

L'enfant qui a subi un choc, quel qu'il soit, a besoin de temps pour s'affranchir des contrecoups émotionnels qui en résultent. Nous devons l'entourer, le rassurer, l'aider à prendre du recul face à son expérience en mettant des mots sur ce qu'il vit. Rien de plus que ce que dicte le sens commun en pareil cas. Si le temps ne fait pas rapidement son œuvre et que le malaise s'intensifie, c'est que l'enfant n'était pas en bonne condition psychologique au moment de l'incident qui a servi en quelque sorte de révélateur à des difficultés déjà existantes.

Si nous persistons à nous centrer sur l'expérience traumatisante, nous risquons de passer à côté du véritable problème. Il faut élargir la perspective pour voir ce qui se cache derrière. L'enfant a-t-il une identité fragile ? Souffre-t-il d'un manque d'estime de soi ? Éprouve-t-il une culpabilité malsaine ? Est-il aux prises avec une violence qu'il ne sait aménager ? A-t-il développé une disposition à l'anxiété ? Identifier le malaise qui est à l'origine de la forte réactivité de l'enfant permettra au parent de voir en quoi lui-même a pu contribuer à rendre son enfant vulnérable, et de modifier son attitude en conséquence.

Voici, en guise de conclusion, une anecdote illustrant bien comment il est possible de faire la part des choses en matière de traumatisme : à une mère qui consultait pour sa fillette de cinq ans présentant un trouble anxieux grave, en exigeant que celle-ci soit vue par une femme parce qu'elle-même craignait qu'un homme profite de la situation d'intimité pour agresser l'enfant, nous avons fait cette réflexion : «Grandir auprès de quelqu'un qui vit dans la peur qu'elle soit agressée est probablement plus préjudiciable pour votre fille que ne le serait l'agression que vous appréhendez.» Dans un cas comme celui-là, la mère avait autant besoin d'aide que l'enfant.

Mon enfant a des sautes d'humeur
continuelles. À quoi les attribuer ?

Si un enfant est toujours de mauvaise humeur, c'est que nous le lais-sons être de mauvaise humeur. L'humeur des enfants a dans une large mesure la coloration que nous lui permettons d'avoir. Cette affir-mation a de quoi surprendre… C'est d'ailleurs celle qui fait le plus réagir en conférence. Les parents conçoivent difficilement que l'on puisse soutenir que «les enfants n'ont pas droit à leurs humeurs». Que les enfants ne puissent pas toujours faire comme bon leur semble leur est compréhensible. Qu'ils doivent être calmés lorsqu'ils sont trop excités leur est concevable. Mais qu'ils n'aient pas le droit d'être de mauvaise humeur! N'avons-nous pas tous nos bons et nos mauvais jours? Alors de quel droit exigerions-nous de nos enfants qu'ils soient plus vertueux que nous ne le sommes nous-même?

Il est vrai qu'il arrive à tout un chacun d'être indisposé. Un surcroît de fatigue, un malaise persistant, une contrariété inattendue : il existe une foule d'irritants susceptibles d'affecter n'importe quel individu. Mais connaître un malaise intérieur ne rend pas de mauvaise humeur. C'est la transformation de la souffrance éprouvée en agressivité tour-née vers les autres qui génère le mouvement d'humeur.

En fait, il n'existe aucune bonne raison d'exprimer sa mauvaise humeur. Se laisser aller à des sautes d'humeur, c'est exposer indûment les gens qui nous entourent à des émotions qui ne les concernent pas. Personne n'échappe complètement à ce travers. Parce que cela fait du bien de se défouler et qu'il n'est pas facile de s'en abstenir même si l'on est conscient que le seul tort de ceux qui subissent nos humeurs est d'être dans notre champ. Ce genre de dérapage ne devrait cependant être qu'occasionnel. On s'attend à ce qu'un adulte soit capable de signifier qu'il est mal disposé sans donner libre cours à son indisposition. Il y a une grande différence entre faire part à notre interlocuteur de l'émotion que nous ressentons et l'y exposer, entre, par exemple, dire que nous sommes mécontent et jurer. Notre évolution personnelle devrait nous amener à devenir progressivement le seul témoin de nos humeurs, bonnes ou mauvaises.

Tout le monde n'y parvient pas, loin de là! Certaines personnes ont l'irritabilité à fleur de peau. Tout ce qui leur est désagréable explose directement à l'extérieur. La moindre contrariété les met hors d'elles-mêmes et tous ceux qui les entourent en paient le prix. On dira d'elles qu'elles se sont levées du «mauvais pied», qu'elles sont de «mauvais poil», qu'il faut «les prendre avec des pincettes» ou «éviter de leur marcher sur les pieds». En y regardant de plus près, nous nous rendons compte qu'elles ne vivent rien de bien différent des gens qui les entourent. Ce n'est pas parce qu'elles souffrent davantage qu'elles donnent si aisément libre cours à leur mécontentement. Pourquoi le font-elles alors? Parce qu'on leur a permis de le faire depuis leur jeune âge.

Dès qu'ils sont contrariés, les enfants ressentent une montée d'agressivité qu'ils cherchent naturellement à canaliser sur quelqu'un d'autre qu'eux-mêmes. Ce sont le plus souvent les parents qui en font les frais. Un chandail que l'on ne trouve pas, un jouet qui se casse, un jeu interrompu, un temps inclément, un ami qui fait défection, des délais d'attente, une défaite en compétition, peu importe la nature de la frustration, le premier réflexe de l'enfant est d'extérioriser son dépit en prenant à partie ceux à qui il a confié le mandat — impossible — de faire en sorte qu'il ne soit jamais indisposé. Plus nous cautionnons cette attitude, plus l'enfant se complaît dans des accès d'humeur interminables. Le message que les parents doivent transmettre à leurs enfants dès leur tout jeune âge est qu'aucun désagrément ne justifie le manque d'égards. Qu'un enfant se sente fatigué, indisposé ou contrarié est compréhensible, qu'il le manifeste est concevable, mais qu'il s'en prenne aux gens qui l'entourent en les interpellant bêtement, en s'adressant à eux impoliment, en les invectivant n'est pas acceptable. Les parents doivent exiger de l'enfant qu'il fasse l'effort d'exprimer sa détresse sans céder trop facilement à la tentation de la transformer en ressentiment ou en agressivité.

Même si nous sommes sensible à la souffrance qu'un enfant peut éprouver, nous ne devons pas considérer l'agressivité à laquelle elle donne lieu comme légitime et en faire abstraction dans nos échanges avec lui. Nous devons au contraire toujours nous centrer sur son attitude avant de nous intéresser à ce qui la motive. S'il utilise un ton impoli en demandant où se trouve son chandail, nous le reprenons sur son impolitesse avant de nous préoccuper du chandail. S'il se montre effronté pendant une discussion, son effronterie doit faire l'objet de la suite de la discussion. La règle à retenir est qu'il faut s'assurer que l'enfant ne soit pas un problème avant de s'occuper des problèmes de l'enfant.

Face aux débordements d'humeur, une façon simple et expéditive d'opérer consiste à demander à l'enfant de s'excuser, en exigeant de lui qu'il le fasse avec le minimum de contrition nécessaire, et non sur le ton qu'il utiliserait pour dire «Va au diable!». La capacité de s'excuser adéquatement entraîne automatiquement un rétablissement de l'humeur. En un instant, l'enfant convient qu'il a tort et fait amende honorable, ce qui lui permet de reprendre pied émotionnellement. À l'inverse, l'incapacité de l'enfant de s'excuser donne lieu à une intensification de l'agressivité. Celle-ci devrait éventuellement le conduire droit dans sa chambre, d'où il ne sera autorisé à ressortir que lorsqu'il sera dans de meilleures dispositions. Dans un cas comme dans l'autre, le climat aura été assaini et l'enfant placé devant les limites de sa complaisance, ce qui le fera évoluer vers une attitude plus mesurée.

Il peut paraître excessif de demander à un enfant de contenir ses débordements quand de nombreux adultes en sont incapables. Mais si nous le faisons, c'est justement pour éviter qu'il ne vienne grossir les rangs des adultes immatures qui font porter au reste du monde le poids de leurs insatisfactions.

49 Quand mon enfant est en colère après moi, il me menace de se tuer. Dois-je le prendre au sérieux?

L'enfant qui fait référence au suicide sous le coup de la colère parce qu'il est indisposé ou contrarié cherche généralement plus à atteindre le parent qu'à exprimer son désespoir. Il reproche à ce parent de ne pas l'aimer, de ne pas l'apprécier et introduit ultimement la menace suicidaire, car il sait que son effet déstabilisant est à peu près assuré. Lorsque l'enfant se situe dans ce registre émotionnel, il n'est ni déprimé ni à grand risque suicidaire. Son message n'est pas «J'en ai assez de vivre, je vais me tuer», mais bien «Je vais te faire du mal, je vais me tuer». L'impulsion suicidaire dure le temps que persiste l'insatisfaction et il n'en subsiste pas de trace par la suite. Rien dans son comportement de tous les jours ne donne à penser que l'enfant porte le poids d'une quelconque détresse intérieure. Le seul risque est que, emporté par son mouvement, il fasse un geste inconsidéré qui mette sa vie en danger. Cette éventualité, même si elle est plus accidentelle que délibérée, peut toutefois avoir une issue aussi dramatique.

L'enfant qui se trouve véritablement habité par une détresse susceptible de conduire à un agir suicidaire n'aura pas tendance à l'exprimer avec éclat dans un accès de colère. S'il communique son désarroi, c'est de manière plus discrète, par le biais de préoccupations se rapportant à la mort, de sous-entendus évocateurs («Je ne serai pas là à Noël»), de créations (dessins, histoires, etc.) à connotation dépressive. Il arrive aussi qu'il éprouve des problèmes de motivation, de sommeil et d'alimentation, témoignant de l'ampleur de son malaise. Mais cet enfant-là apparaît en général plus triste et effacé que vindicatif et confrontant.

On ne doit jamais prendre une menace suicidaire à la légère. Un parent est toujours justifié de demander de l'aide pour en comprendre le fondement et pour connaître les attitudes à adopter ou les actions à privilégier. Cela établi, il demeure un fait d'observation courante que les menaces proférées dans le contexte d'une explosion de colère sont rarement le prélude à un agir suicidaire ; l'enfant exprime plutôt un désir d'agresser qu'un désir de mourir.

Sachant cela, le parent qui ressent clairement que son enfant cherche bien plus à l'atteindre qu'à lui communiquer son désespoir, qui constate que ce type de préoccupation ne surgit qu'au moment où l'enfant est indisposé, et qui a pris soin de s'assurer que, pour le reste, l'enfant fonctionne bien, peut prendre le parti de couper court à cette façon de faire pour éviter que l'enfant ne s'engage trop profondément sur ce terrain et s'y perde. Il lui suffit d'interdire fermement à l'enfant d'avoir recours à des propos aussi graves à tort et à travers, et de le punir s'il persiste en ce sens. Faisant cela, le parent devra cependant demeurer vigilant et prêt à neutraliser toute tentative ponctuelle de l'enfant pour démontrer le sérieux de ses intentions.

S'il s'agit bien d'une décharge agressive, la préoccupation suicidaire disparaîtra aussi vite que son expression. L'enfant n'étant plus alimenté par la réactivité du parent continuera à se présenter comme une victime et à énoncer ses griefs, mais sans mettre son intégrité dans la balance de manière inconséquente et hasardeuse. Il restera au parent à s'interroger sur ce qui lui vaut de canaliser sur lui tant de ressentiment.

50 N'est-il pas normal que mon enfant soit souvent excité? Tous les enfants ne le sont-ils pas?

Il faut commencer par départager ce qui est normal de ce qui ne l'est pas. Il est normal que les enfants soient régulièrement emportés par leur excitation. Mais un enfant excité n'est pas nécessairement dans un état que l'on peut qualifier de «normal». La nuance est importante parce que le mandat du parent est précisément de faire ce qu'il faut pour maintenir son enfant dans un état normal. Aussi, s'il considère d'emblée comme étant normal que son enfant soit excité, il aura tendance à se montrer tolérant vis-à-vis de réactions pour lesquelles il ne devrait pas l'être.

Une personne est dans un état normal lorsqu'un équilibre existe entre sa capacité de penser et sa capacité de ressentir. Elle est en assez bonne possession de ses moyens pour demeurer présente à ce qu'elle fait; et elle a la liberté intérieure pour profiter pleinement de ses expériences. Elle avance dans la vie comme un pilote aguerri, à la fois maître de ses gestes et capable de jouir intensément de chaque moment d'exaltation. Cet équilibre est précaire chez les enfants, qui sont sujets à de nombreux dérapages. Leur faible capacité de moduler leurs émotions les conduit aisément à perdre le contrôle d'eux-mêmes. Dans ces moments-là, ils n'ont plus de prise ni sur ce qu'ils vivent ni sur ce qu'ils font. Ils sont habités par une fébrilité que l'on peut confondre avec de la joie de vivre, alors qu'elle n'est pas plus agréable à vivre qu'à subir.

Le plus difficile pour les parents est de déterminer à quel moment intervenir. Comme le jeu comporte une part normale d'excitation, ils doivent veiller à ne pas se montrer exagérément contraignants. Les enfants l'ont d'ailleurs bien compris. C'est pourquoi leur premier réflexe, lorsqu'on les invite à modérer leur enthousiasme, est de répondre : «On fait juste jouer!» Pour qu'un enfant puisse prétendre qu'il joue, il faut que le jeu en soit vraiment un. Pour que ce soit le cas, l'activité à laquelle il s'adonne doit comporter un minimum de règles qui en régissent le déroulement et ne pas se réduire à une succession de bousculades et de courses désordonnées. Il faut ensuite que le niveau d'organisation de l'enfant lui permette de tenir compte du cadre du jeu dans lequel il s'inscrit. Il n'y a rien de mal à ce qu'un enfant soit exubérant, tant que son fonctionnement ne devient pas anarchique.

Face à un enfant qui devient exagérément excité, un simple rappel à l'ordre peut suffire. Mais il faut souvent plus et c'est compréhensible. Il n'est pas facile pour un enfant de se prendre en main lorsqu'il n'y a plus personne aux commandes dans sa tête. Dans ce cas, on peut comprendre que les exhortations au calme restent sans effet. Le mieux est alors de le retirer de la situation déstructurante et de le prendre auprès de soi, le temps que l'excitation diminue. Une bonne manière de s'assurer qu'il a repris le contrôle de lui-même est de lui refuser l'autorisation de retourner jouer lorsqu'il le demande, puis d'observer sa réaction : s'il jette des hauts cris, c'est qu'il n'est pas prêt ; s'il accepte d'attendre, il n'y a plus de raison de l'y contraindre.

51 Le médecin me dit que mon enfant est hyperactif et qu'il doit prendre du Ritalin. Que dois-je faire?

Quoi qu'en disent certains professionnels de la santé, il n'est pas à ce jour clairement établi que l'hyperactivité soit d'origine organique. À défaut d'évidences neurologiques incontestables, il faudrait, pour s'en convaincre, pouvoir rencontrer à l'occasion des enfants devenus hyperactifs en dépit du fait qu'ils aient bénéficié de conditions développementales optimales. L'explication neurologique s'imposerait alors d'emblée comme étant la plus plausible. Mais ce n'est jamais le cas.

Les enfants reçus en consultation pour cette raison ont tous connu des irritants développementaux qui suffisent à rendre compte de leur évolution vers une façon d'être turbulente et difficilement contrôlable, sans qu'il soit nécessaire d'en référer à un syndrome organique hypothétique. Soit que les parents aient été trop permissifs et n'aient jamais pu établir un cadre permettant à l'enfant de s'organiser intérieurement; soit que l'enfant ait été aux prises avec des tiraillements intérieurs induisant une tension le maintenant continuellement en effervescence; soit encore que le milieu de vie ait été générateur de stress, comme c'est le cas chez l'enfant en situation d'indigence physique, ainsi que, dans des proportions moindres, chez celui qui passe de longues journées en milieu de garde.

On pourra objecter à cela que c'est peut-être bien la condition d'hyperactivité de l'enfant qui est à l'origine des problèmes évoqués (encadrement défaillant, tensions, etc.) et non l'inverse. C'est possible. Mais l'interaction constante entre l'hyperactivité et des conditions de vie qui permettent d'en rendre compte fait qu'il subsiste un *doute raisonnable*. Et quand, de surcroît, nous voyons régulièrement des enfants qualifiés d'hyperactifs devenir des individus posés, appliqués et concentrés dès qu'ils se retrouvent en situation individuelle sous le regard de quelqu'un qui les encadre fermement sans les inquiéter, nous sommes porté à nous interroger encore plus sur le bien-fondé de l'hypothèse d'un déterminisme génétique dont nous ne voyons plus trace.

Un autre argument avancé pour démontrer que l'on est face à un problème qui relève du médical est que l'on peut le régler avec un médicament. Mais ce n'est pas parce qu'un médicament a de l'effet que le désordre sur lequel il agit est congénital. La personne déprimée par la mort d'un être cher peut réagir favorablement aux antidépresseurs même si son problème n'a rien d'organique. Une personne rendue nerveuse par une expérience traumatisante peut tirer profit de la prise d'anxiolytiques même si elle ne présente pas une disposition innée pour l'anxiété. Dans ces deux cas, le médicament agit sur une condition que les circonstances ont fait naître. Il est possible que l'action du Ritalin sur l'agitation soit du même ordre : il agit sur la condition actuelle de l'enfant, non sur sa cause profonde.

Il est important que ces réserves soient évoquées, pour faire contrepoids au désengagement auquel conduit très souvent le diagnostic d'hyperactivité. Convaincu de l'existence du syndrome, le parent peut facilement être amené à ne se sentir partie prenante ni du problème ni de sa solution. L'école peut prendre les choses au pied de la lettre et exiger le recours à une médication qui la dégage de la nécessité de mettre en place un plan d'intervention concerté. Quant au professionnel, il peut être tenté d'accueillir favorablement cette demande sans tenir compte des enjeux émotionnels sous-jacents.

Ce que les grilles d'observation disent au parent, c'est que son enfant est hors de contrôle parce que mobilisé par une agitation qui déborde sur sa motricité et le conduit à déroger aux consignes, à déranger les autres et à manquer de concentration. Le premier réflexe du parent devrait être de se remettre lui-même en question. Il n'a pas à se demander s'il est un bon ou un mauvais parent, mais, plus simplement, s'il est à l'aise quand vient le temps d'encadrer son enfant ou si cet encadrement lui pose problème. Est-ce que j'interviens rapidement ou ai-je tendance à différer mes réactions? Est-ce que je passe aux actes au moment voulu ou est-ce que j'argumente indûment? Est-ce que je vois à ce que mon enfant soit toujours dans le meilleur état possible pour bien vivre ses rapports avec son environnement ou suis-je porté à réagir seulement lorsque je suis excédé? Ce genre de questionnement peut conduire le parent à réaliser que son encadrement comporte d'importantes lacunes, qui suffisent possiblement à expliquer l'agitation de l'enfant et auxquelles il devrait remédier avant d'explorer d'autres voies.

En second lieu, le parent devrait se questionner sur ce qui se cache derrière l'hyperactivité de son enfant. Si celui-ci n'est pas bien dans sa peau, le risque est grand que son malaise intérieur se répercute sur son état général et affecte son fonctionnement. C'est le cas lorsqu'un enfant doute de sa valeur, est carencé sur le plan affectif ou assujetti à des obligations incompatibles avec ses besoins réels, etc. Si les comportements dérangeants sont l'expression d'un mal de vivre, il peut être plus indiqué de chercher à déterminer la nature de ce mal et d'agir sur ses causes que de museler les comportements par une médication. Dans cette perspective, le mieux consisterait à considérer l'hyperactivité comme un *symptôme* plutôt que comme un syndrome: quelque chose ne va pas qui rend l'enfant hyperactif. Peut-être manque-t-il de structure? Peut-être éprouve-t-il des difficultés personnelles? Peut-être est-il affecté par ses conditions de vie? Cette façon de voir n'exclut pas le recours à une médication d'appoint qui peut être utilisée en parallèle pour soutenir les autres interventions.

Les enfants que l'on qualifie d'hyperactifs sont en partie les mêmes que ceux dont on disait autrefois qu'ils étaient mal élevés. La formulation était peu élégante et certainement inappropriée. Mais elle avait le mérite d'inciter aux remises en question, plus que ne le font les dénominations aseptisées.

L'institutrice me dit que mon enfant n'écoute pas bien en classe. Souffrirait-il d'un déficit d'attention ?

Les mêmes réserves que celles invoquées dans le cas de l'hyperacti-vité[13] s'appliquent dans le cas du déficit d'attention, car les certitudes scientifiques quant à la nature organique du problème nous font défaut. Rien ne prouve qu'il existe des conditions innées prédisposant aux diffi-cultés d'attention. Et le fait que le Ritalin améliore la concentration n'est pas suffisant pour conclure à un désordre d'origine neurologique. L'un des effets pernicieux de la médicalisation est qu'elle dispense de faire l'effort de *comprendre* ce qui se passe. Dans le cas du déficit d'attention, on se limite à soumettre l'enfant à des grilles d'observation qui ne servent qu'à confirmer ce qui saute aux yeux: il n'est pas attentif en classe. Puis on lui prescrit un traitement pharmacologique en l'assortissant de tech-niques censées favoriser une meilleure concentration.

Si nous y regardions de plus près, nous nous rendrions possible-ment compte que l'enfant en question n'éprouve aucune difficulté à se concentrer lorsqu'il discute avec ses amis, s'affaire à construire des maisons avec ses pièces de Lego ou s'assied devant son Game Cube. Nous serions amené à nous demander comment il se fait qu'il n'y ait qu'en classe que ses neurotransmetteurs fonctionnent mal. Se pour-rait-il que le problème soit ailleurs? Partant de là, nous serions peut-être conduit à penser que si l'enfant n'écoute pas les explications, ce n'est pas parce qu'il est incapable d'être attentif, mais parce qu'il est attentif à autre chose – c'est la définition même de la distraction... En le voyant se tenir à l'écoute de tout ce qui se passe autour de lui et à

---

13. Voir la question 51.

l'affût de la moindre occasion d'attirer l'attention sur lui, nous serions forcé de conclure que ce dont il souffre, ce n'est pas d'un déficit d'attention mais plutôt de son «détournement» par l'attraction qu'exerce sur lui son environnement.

Tout en convenant qu'il faut éviter les conclusions trop hâtives, nous devons reconnaître que dans les faits, les enfants qui éprouvent de la difficulté à fixer leur attention sont souvent des enfants qui en ont manqué. Soit que ce sont des enfants trop discrets que les parents ont été portés à oublier et qui se sont graduellement éteints intérieurement ; parvenus à l'âge scolaire, ils se présentent comme des enfants lunatiques, absents, qui ne parviennent pas à se mobiliser pour écouter parce que rien ne les y pousse[14]. Soit que ce sont des enfants plus demandants dont les parents n'ont pu satisfaire pleinement les besoins et qui perpétuent une quête insatiable d'attention ; ce sont les enfants distraits, précédemment évoqués, qui sont, eux, bien présents, mais pas à ce à quoi ils devraient s'intéresser… Ces enfants ont plus que tout besoin que nous leur fassions sentir qu'ils sont importants. C'est d'ailleurs ce que leur apporte peut-être de plus positif leur identification comme enfant ayant un déficit d'attention. Une fois que l'école a donné l'alerte, ils deviennent un centre d'intérêt pour diverses personnes, et ce fait seul est susceptible d'avoir plus d'impact que l'ensemble des mesures mises par ailleurs en œuvre pour leur venir en aide.

---

14. Voir la question 53.

Mon enfant manque de motivation à l'école. Son professeur n'est-il pas capable de l'intéresser ?

Le parent qui présente le problème en ces termes fait fausse route. En expliquant le peu de motivation de son enfant par l'inaptitude de son professeur à susciter son intérêt, il confond ce qui relève de sa responsabilité et ce qui tient à celle du professeur.

La motivation et l'intérêt sont deux attitudes distinctes dont la convergence place l'enfant dans une disposition optimale pour réaliser des apprentissages. La *motivation* émane de l'enfant: c'est un mouvement intérieur qui l'incite à faire les efforts nécessaires pour se réaliser; elle est l'expression de son besoin d'affirmer sa valeur. L'*intérêt* est déterminé de l'extérieur: c'est une attitude de réceptivité qui facilite l'intégration des informations; il résulte de l'attraction exercée sur l'attention de l'enfant. La tâche du parent est de faire en sorte que son enfant soit, au moment où il amorce sa vie scolaire, dans un état d'esprit qui le dispose à faire les efforts pour apprendre, qu'il soit motivé. Celle du professeur est de réduire l'effort d'attention de l'enfant en présentant sa matière de façon à la rendre captivante, à susciter de l'intérêt. Un professeur peut influer sur le niveau de réussite de ses élèves selon qu'il est ou non bon pédagogue. Mais il ne peut leur inculquer le désir de réussir. Il n'en a ni les moyens ni le mandat. Aussi, quand un parent entend que son enfant n'est pas attentif en classe, néglige ses travaux et est indifférent à ses résultats, c'est son développement et non pas l'encadrement scolaire qui est d'abord en cause. C'est donc lui-même et non le professeur qu'il doit d'abord remettre en question.

Les problèmes de motivation sont le plus souvent associés à un développement lacunaire de l'estime de soi. L'enfant éprouve peu de considération pour lui-même et ne ressent pas la nécessité d'affirmer sa valeur. Cela parce que l'on ne lui a pas communiqué la conviction qu'il est quelqu'un de valable, et que l'on n'a pas fait en sorte qu'il en fasse l'expérience dans sa vie de tous les jours. Cela ne veut pas dire qu'il a été négligé ou rejeté. Dans la majorité des cas, les parents ont pris soin de leur enfant, ont vu à ce qu'il ne manque de rien, mais ils n'avaient pas la disponibilité affective pour être à l'écoute de son besoin de devenir quelqu'un.

Le problème ne vient donc pas de l'école, et la solution non plus. Les rencontres de concertation avec les intervenants scolaires se soldent d'ailleurs généralement par un constat d'impuissance. On admet, comme un aveu, que l'on ne sait pas comment atteindre l'enfant, comment le faire participer. Mais l'école n'a pas à remplir cette fonction, c'est à l'enfant d'aller vers elle. Et c'est dans l'intimité de la maison que peut être initié le mouvement en ce sens. L'enfant doit sentir que son parent se sent concerné par ce qui lui arrive, qu'il est partie prenante de son succès comme de ses échecs. Pour que l'enfant ait ce sentiment, il faut que le parent supervise étroitement son travail à la maison, en assurant un suivi de ses devoirs et de ses leçons, ainsi qu'à l'école, en étant attentif aux notes qu'il obtient et aux commentaires du professeur. Le parent doit exiger de son enfant qu'il fasse des efforts et ne se montre pas complaisant face aux échecs. Il doit sévir face aux relâchements en matière d'attention, de concentration et d'application, de manière que son enfant ressente qu'il n'a pas le choix de travailler et, si possible, de réussir s'il veut avoir la paix.

Au départ, l'enfant ne verra qu'oppression et harcèlement dans la conduite du parent. Mais il fera en sourdine une expérience nouvelle et satisfaisante : il se sentira important. Et lorsque la constance du travail commencera à avoir un effet sur ses performances, il aura accès à une autre expérience nouvelle et satisfaisante : il se sentira valable. C'est l'incidence répétée de cette double expérience de se sentir à la fois important et valable qui fera de lui, au bout du compte, un enfant motivé.

54 Comment faire pour que le moment des devoirs ne se transforme pas en cauchemar?

L a période des devoirs occupe une large place dans la vie quotidienne d'une famille. Il est important qu'elle se passe bien. D'abord
parce qu'elle joue un rôle essentiel dans le cheminement scolaire des
enfants : c'est le moment de la journée où ils consolident leurs acquisitions. Ensuite parce que la façon dont elle se déroule est susceptible
d'avoir des répercussions sur le climat qui règne à la maison. Les difficultés entourant la gestion du travail scolaire sont en effet souvent
au cœur des tensions familiales.

Lorsque l'exécution des devoirs est laborieuse, le problème de
l'enfant est généralement lié à son attitude beaucoup plus qu'à son
aptitude. La majorité des enfants ont les ressources pour accomplir ce
qui leur est demandé. C'est la volonté qui leur manque. Il n'est pas
facile pour des parents de composer avec un enfant qui fait tout à recu-
lons. Cela exige d'eux qu'ils compensent par un surcroît de patience
et de détermination. C'est souvent beaucoup de temps et d'énergie
pour peu de résultats. Les repères qui suivent pourraient contribuer à
inverser le cours des choses.

- *D'abord, quand fait-on les devoirs?* Le plus tôt possible, lorsque
les notions du jour sont encore fraîches à la mémoire. L'argument
de l'enfant selon lequel il a besoin de se changer les idées ne
peut être retenu. Il ne vise d'ailleurs habituellement qu'à reculer
l'échéance. La réalité est que sa capacité de concentration ira
en déclinant à mesure que le temps passera et que la fatigue
le rendra plus opposant.

- *Où doit-on les faire ?* De préférence dans un endroit isolé. Les parents dont l'enfant cesse de travailler dès qu'il se retrouve seul ont tendance à l'installer à proximité pour l'avoir à l'œil. Mais en agissant ainsi, ils augmentent les occasions de distractions qui nuisent à la concentration. Par ailleurs, ajuster l'environnement en fonction des difficultés de l'enfant est une stratégie discutable. En agissant ainsi, on règle la situation mais pas le problème. C'est l'attitude de l'enfant qui pose problème, c'est elle qui doit changer. S'adapter ne serait-ce qu'en partie à son irresponsabilité revient à le priver de la possibilité d'évoluer.

- *Combien de temps doivent-ils durer ?* Certains enseignants conseillent de fixer un temps limite et de s'y tenir : « Au bout d'une heure, fermez les livres », disent-ils aux parents. On joue alors sur deux tableaux : on confronte l'enfant aux conséquences de sa paresse pour l'inciter à se prendre en main, et comme les devoirs ne seront pas terminés, on l'obligera aussi à rendre des comptes à son professeur afin de bénéficier de l'appui de ce dernier. C'est une stratégie qui n'est pas forcément recommandable. D'abord parce que les problèmes d'attitude reposent en général sur une faible estime de soi, susceptible d'amener l'enfant à faire peu de cas de ses échecs. Ensuite parce qu'il n'est jamais bon qu'un parent laisse quelqu'un d'autre se substituer à son autorité. Pour éviter que les devoirs ne s'éternisent, le parent doit mettre l'enfant face aux conséquences de son comportement. Mais il est préférable que cela vienne du parent lui-même et ne présente pas le risque de maintenir l'enfant en situation d'échec.

- *Comment en orienter la supervision ?* Mieux vaut éviter les extrêmes. Demeurer auprès de l'enfant en le suivant à la trace ne favorise pas son évolution vers une plus grande autonomie. Le laisser à lui-même et ne vérifier son travail qu'une fois celui-ci terminé peut réserver de mauvaises surprises. Le mieux est de diviser le travail de l'enfant en plusieurs parties, en voyant au bon déroulement de chacune d'elles. On s'assure que les consignes sont claires et les règles bien comprises, pour éviter les éventuelles justifications. On confine l'enfant à son lieu de travail. Puis on détermine un délai raisonnable, au terme duquel on vérifie ce qui a été fait. Si le travail de l'enfant est insatisfaisant, on reprend l'enfant avec la fermeté nécessaire pour couper court aux argumentations, et on ressort de la pièce. On maintient ainsi la surveillance jusqu'à ce que tout soit fait. Lorsque l'enfant a traîné, le parent doit sévir. Il ne doit pas tenir son enfant quitte parce qu'il a fini par obtempérer ni s'estimer satisfait parce que lui-même est passé au travers. Il peut le priver d'une activité, ou tout simplement l'envoyer au lit plus tôt en faisant valoir que, s'il est trop fatigué pour se concentrer, il l'est trop pour veiller. Le parent ne doit pas laisser l'enfant considérer comme normal qu'il ait à le forcer à faire ce qu'il sait devoir faire dans son propre intérêt.

Le parent qui parvient à encadrer adéquatement et avec constance la période des devoirs devrait constater un changement graduel d'attitude chez son enfant. Pendant quelque temps, celui-ci fera bien ses devoirs parce qu'il n'aura pas d'autre choix. Puis, le plaisir de réussir produisant son effet, il en viendra à choisir de bien faire ses devoirs.

La directrice me dit que les intervenants sont dépassés par l'indiscipline de mon enfant. Est-ce à moi d'intervenir?

L e rôle de l'école est de dispenser des connaissances, pas d'élever les enfants. La structure mise en place est conçue afin de recevoir des enfants qui sont dans un état propice pour intégrer ce qui leur est communiqué. Le professeur introduit des règles destinées à renforcer ce processus et dispose de mesures incitatives pour contrer les écarts occasionnels. Son mandat s'arrête là.

Lorsqu'un enfant ne s'inscrit pas bien dans cet ordre de choses, c'est qu'il s'est mal construit; il appartient alors aux parents d'apporter les correctifs nécessaires. Le professeur ne doit pas placer au premier plan son idéal professionnel et tenter de venir à bout de l'enfant en excluant les parents de sa démarche. Il ne doit pas non plus, advenant une défection des parents après qu'il a sollicité leur appui, se faire le porteur de l'idéal parental et se donner pour mission de «sauver» l'enfant. Dans les deux cas, il outrepasse son mandat et s'écarte, ce faisant, des balises qui garantissent son efficacité. En essayant de remplir une fonction qui n'est pas la sienne, il risque de porter préjudice aux autres élèves dont il a la responsabilité, car il réduit alors sa disponibilité à leur endroit et peut avoir tendance à laisser l'enfant perturbateur miner le climat de la classe.

Dans le même esprit, nous devons reconnaître à l'école, comme institution, le droit de préserver son intégrité en respectant les limites inhérentes au cadre dont elle dispose. Au lieu de s'entêter à garder un enfant dont les intervenants ne parviennent pas à contenir les débordements, il peut être préférable d'exclure l'enfant de manière que les parents soient placés devant la nécessité de se tourner vers les ressources dont le mandat est de faire face à ce genre de situation. L'acharnement à prendre en charge un élève sans avoir les outils nécessaires à son évolution ne fait que retarder les mesures qui s'imposent pour améliorer sa condition. Mais il demeure l'exception.

Le mieux, en matière d'indiscipline, est que le professeur, ou l'école, prévienne les parents dès qu'il juge l'attitude de leur enfant insatisfaisante, sans attendre que la situation soit impossible. Un parent ne peut pas se satisfaire que l'on vienne à bout de son enfant. Son mandat est de construire ce dernier précisément pour que personne n'ait à venir à bout de lui. C'est pourquoi il doit recevoir l'heure juste sur son fonctionnement, quelle que soit la nature des problèmes qu'il pose.

Le parent qui croise les doigts en espérant que son enfant tombe sur un professeur autoritaire «parce qu'il fonctionne bien avec quelqu'un qui a de la poigne» perd de vue ce qui constitue l'essentiel de sa responsabilité. Son travail est de faire en sorte que son enfant soit suffisamment conscient de l'importance de la situation d'autorité, dans le maintien des conditions propices à son épanouissement, pour respecter la personne qui incarne cette autorité, indépendamment de la personnalité de celle-ci. L'enfant discipliné est celui qui respecte son professeur non pas parce que ce dernier lui en impose, mais parce qu'il est conscient qu'il se nuirait à lui-même s'il ne le faisait pas. Pour cette raison, la réaction du parent que l'on informe de l'indiscipline de son enfant ne doit pas être de déplorer que le professeur ne soit pas capable de l'encadrer, mais que son enfant ait besoin de l'être. Il ne doit pas considérer que l'école a un problème avec son enfant, mais que son enfant a un problème que lui-même, parent, doit régler. Il se peut, à partir de là, qu'il ait besoin d'aide pour comprendre ce qui ne va pas et pour y remédier ; tout dépend de l'ampleur des difficultés. Mais il ne doit pas se rendre aux réunions de concertation en se considérant comme un intervenant parmi les autres : il *est* celui par qui le changement peut et doit arriver. Il est le seul dont la préoccupation première est d'agir sur le développement de son enfant pour qu'il se construise bien et soit en mesure de s'adapter à son environnement, et non simplement d'améliorer son fonctionnement afin d'éviter qu'il ne soit un souci pour autrui.

56 Est-on justifié de sanctionner un enfant pour ses écarts de conduite à l'école si l'institutrice l'a déjà puni?

Il n'est pas rare qu'un parent soit incité à se montrer indulgent face aux inconduites de son enfant parce que ce dernier a déjà été sanctionné à l'école. On se réfère alors invariablement à l'argument selon lequel «ce qui se passe à l'école reste à l'école». Cette position résulte de la confusion largement répandue entre ce qui est éducatif et ce qui est parental. Le professeur qui recommande au parent de le laisser maître de ce qui se passe à l'école perd de vue qu'il n'a ni les mêmes objectifs ni les mêmes impératifs que la personne à laquelle il s'adresse.

Les règlements en vigueur dans une école ont pour objectif premier de maintenir un ordre de choses fonctionnel, non de favoriser le meilleur développement possible de l'enfant. On ne punit pas un enfant parce qu'il échoue à un examen ou est lunatique en classe; on le punit parce qu'il déroge aux consignes, dérange les autres élèves, indispose le professeur, endommage le matériel, etc. On ne s'interroge pas sur l'état qui sous-tend les écarts de comportements; on intervient de façon graduée jusqu'à ce que l'on parvienne à les juguler: billets roses, bleus, retenues, suspension, exclusion, classe spéciale, etc. On ne ressent pas la responsabilité de faire de l'enfant que l'on a devant soi le meilleur être possible; on veut qu'il s'adapte à la situation scolaire. Il ne s'agit pas ici de faire le procès des institutions scolaires. On ne peut reprocher à l'école de n'être que l'école. Mais on peut lui reprocher d'empêcher à l'occasion les parents d'être des parents.

Certains parents éprouvent un soulagement à s'entendre dire qu'ils n'ont pas à se mêler de ce qui se passe à l'école. Mais il en est d'autres qui sont sincèrement concernés par le devenir de leur enfant et prêts à intervenir, et qui s'interdisent de le faire parce que des personnes à qui ils reconnaissent une certaine compétence en la matière le leur déconseillent. Ces parents doivent savoir que leur autorité ne s'arrête pas aux portes de l'école.

Le message qu'ils doivent transmettre à leur enfant est en substance le suivant: «Réussir à l'école est ton principal mandat à ce stade de ta vie. J'attends de toi que tu tires le meilleur parti des moments passés en classe, autant sur le plan scolaire que sur le plan personnel, parce que cela est essentiel pour la qualité de ton développement. Si tu déroges à cette attente, tu t'exposes à en subir les conséquences parce que je ne te laisserai ni te faire du tort ni en faire aux autres.»

Cela ayant été dit, la question n'est plus de savoir combien d'avertissements il faut pour obtenir un billet rose, combien de billets roses suffisent pour une retenue et combien de retenues mènent à une suspension. Dès que l'enfant ne s'inscrit pas adéquatement dans le contexte de la vie à l'école, le parent doit en être informé. Et il est pleinement justifié de prendre les mesures qu'il juge nécessaires pour rétablir la situation promptement, indépendamment des comptabilisations de l'institutrice. Et à celui qui l'avise que son enfant a déjà été puni pour le tort qu'il a fait aux autres, il peut toujours répondre qu'il lui reste à être sanctionné pour le tort qu'il s'est fait à lui-même.

57 Pourquoi mon enfant attend-il toujours que je m'impatiente pour faire ce qu'il doit ?

Les enfants vivent leurs besoins comme des obligations et leurs obligations comme des contraintes inutiles. L'important pour eux n'est pas ce qu'ils *doivent* faire, mais ce qu'ils *ont envie* de faire. Il n'y a donc rien d'étonnant à ce que le but de l'éducation soit précisément de les amener à voir plus loin que le besoin du moment et à agir en perspective. Pour cette raison, il est normal que nous ayons à répéter certaines consignes, particulièrement quand nous exigeons de l'enfant qu'il s'arrache littéralement à l'attraction qu'exerce sur lui telle émission télévisée ou tel jeu vidéo. Mais il n'est pas normal que nous ayons à nous impatienter. Nous devons intervenir auprès d'un enfant dès que nous considérons que la situation l'exige, sans attendre que notre niveau d'exaspération nous pousse à le faire.

Les enfants ajustent leur temps de réaction à la tolérance des parents. Si nous attendons quinze minutes avant d'obliger un enfant à s'exécuter, il réglera son horloge mentale à quinze minutes. Si nous répétons dix fois la même chose avant de le forcer à obtempérer, il placera son compteur mental à dix — pourquoi faire tout de suite ce qu'il est encore possible de différer? se dit l'enfant dans son for intérieur.

Face à cette logique, au demeurant compréhensible, le travail du parent est de se servir de son jugement pour déterminer ce qui est acceptable. Tenant compte du degré d'agrément de l'activité actuelle (pratiquer son sport favori, regarder un nouveau film) et du degré de désagrément de celle à venir (aller au lit, faire ses devoirs), le parent doit déterminer le délai dont l'enfant a besoin pour se faire une raison et agir en conséquence. Lorsqu'il considère que l'enfant se montre trop complaisant envers lui-même, il doit le forcer à faire ce qu'il doit faire en le sanctionnant si nécessaire. C'est le cas lorsque faire attendre devient la norme plus que l'exception.

Mais bien souvent, ce n'est pas de cette manière que les choses se passent. Parce que les parents sont eux-mêmes des êtres humains et qu'ils répugnent à s'imposer des confrontations laborieuses sans nécessité absolue, nombre d'entre eux diffèrent leur intervention le plus possible. Ce n'est que lorsque l'exaspération les gagne qu'ils se décident à agir, ce qui donne lieu à des échanges éprouvants pour tout le monde.

À long terme, il est plus rentable de s'appliquer à établir un ordre des choses qui évite les débordements émotionnels. Le parent qui développe l'habitude de prendre les choses en main avant que l'exaspération ne le gagne n'aura pas à se contraindre bien longtemps ; son enfant mettra assez vite sa faculté d'adaptation à contribution et commencera à opérer avec plus de diligence. Un des irritants majeurs de la vie familiale disparaîtra ainsi.

58 Pouvons-nous reprocher à notre enfant de hausser le ton avec nous si nous le faisons à l'occasion avec lui ?

Nous entendre dire par notre enfant, que nous reprenons sur ses écarts de langage, «Je te parle comme tu me parles» peut avoir un effet déstabilisant. L'argument paraît valable et a de quoi rendre moins assuré. Mais il ne résiste que dans la mesure où l'on s'arrête aux apparences sans regarder ce qu'elles cachent.

Le comportement du parent ne se compare en rien à celui de l'enfant parce que leurs intentions ne sont pas les mêmes. Le parent qui lève le ton cherche à se faire écouter, l'enfant qui le fait cherche à se défouler. Le même phénomène s'observe avec les formules de politesse. Lorsqu'un parent rappelle à son enfant qu'il n'a pas dit «s'il vous plaît» ou «merci», il ne cherche pas à le prendre en faute. Il fait son travail éducatif. L'enfant qui se comporte de la même manière ne cherche qu'à prendre son parent en défaut pour trouver un exutoire à son agressivité. Le parent le ressent mais en fait abstraction, faute de preuves. Il ne devrait pas.

Il n'y a pas lieu de débattre longuement avec l'enfant des prérogatives associées à la condition de parent. Les enfants comprennent bien l'esprit qui anime leurs parents lorsque ceux-ci les disciplinent. Et ils savent pertinemment que tout ce qu'ils ont à offrir, en retour des milliers de sacrifices consentis pour assurer leur bien-être, est un respect inconditionnel duquel aucun semblant d'équivalence ne peut les dispenser. Rien, dans ce contexte, ne peut justifier un manque d'égard à leur endroit.

On s'attend d'un bon parent à ce qu'il donne l'exemple. Mais son dévouement fait suffisamment foi de la considération qu'il porte à son enfant pour l'exempter des excès de civilités. Aussi, s'il lui arrive à l'occasion de hausser la voix inconsidérément, cela ne donne pas à l'enfant la légitimité de faire la même chose. Le parent doit admettre qu'il a eu tort de s'être emporté, sans commettre l'erreur de laisser l'enfant en tirer profit en s'arrogeant le droit de déconsidérer celui ou celle qui lui consacre une grande partie de sa vie.

59 Les discussions interminables — quand et comment y mettre un terme ?

L e piège dans lequel tombent certains parents lorsqu'ils amorcent une discussion avec leur enfant est de vouloir le convaincre à tout prix du bien-fondé de leur décision pour ne pas avoir à la lui imposer d'autorité. S'inspirant des courants pédagogiques qui favorisent le dialogue et la concertation, ils s'engagent alors dans des échanges interminables qui s'avèrent le plus souvent stériles et n'ont pour effet que d'alimenter les insatisfactions mutuelles : exaspération du parent, dépit de l'enfant.

Le problème vient de ce que les enfants ne se soucient pas du bien-fondé de leurs demandes, ils veulent uniquement que l'on y acquiesce. En fait, les enfants ne discutent pas, ils *plaident*. Et leur argumentation est biaisée par le fait qu'ils ne se situent pas au-dessus mais en dessous de leur besoin. Leur capacité de mettre les choses en perspective n'est pas suffisante pour les orienter vers la recherche de la meilleure solution. De ce fait, leur faculté d'analyser est totalement mise au service de leur satisfaction. Rien de ce qui y fait obstacle ne résiste. Cela ne relève pas de la mauvaise volonté mais des limites de leur développement. L'enfant se sent par ailleurs d'autant plus à l'aise de ne pas trop solliciter sa raison qu'il sait que le parent le fera à sa place. Pourquoi se faire violence en étant raisonnable quand on peut laisser quelqu'un d'autre s'en charger, et le lui reprocher de surcroît !?

La situation est différente lorsque le parent est absent. Plus un enfant se développe adéquatement, plus il aura tendance, lorsque laissé à lui-même, à se référer à son propre parent intérieur en gestation, ce qui le fera apparaître sous un jour plus responsable. Tout cela explique le décalage souvent observé entre l'image positive qu'un enfant peut donner à l'extérieur et l'éprouvante réalité que le parent connaît quotidiennement. Ce dernier peut quand même trouver quelque réconfort en se disant que ce qu'il fait n'est pas vain même s'il sera probablement le dernier à voir émerger l'adulte achevé qu'il est en train de construire.

Le mieux, lorsque nous nous engageons dans un échange avec un enfant par rapport à une demande à laquelle il veut que nous souscrivions ou à une exigence à laquelle il veut se soustraire, est d'y mettre un terme dès que les arguments ont été exposés et que la discussion commence à tourner à vide. Plus nous laissons l'enfant revenir à la charge, plus son degré de frustration augmente et moins il est capable d'entendre les explications que nous lui donnons. De la même façon, plus le parent est obligé de répéter les mêmes objections, plus il devient impatient et incapable de s'expliquer calmement. Pour ces raisons, il est préférable de couper court à la discussion et de faire face à l'enfant lorsqu'il est encore suffisamment organisé pour se contenir et que l'on se contrôle encore suffisamment pour contrer ses débordements, s'il y a lieu.

Imaginer que l'on puisse élever un enfant sans avoir à affirmer régulièrement son autorité relève d'une idéalisation de l'éducation qui est sans correspondance avec la réalité de ce qu'est un enfant. Il est certainement souhaitable de laisser les enfants exprimer leur point de vue, de discuter des aménagements possibles et d'être ouvert aux compromis. Mais vient un moment où le parent doit trancher. Et à cet instant-là, il doit avoir à l'esprit que l'important n'est pas que son enfant accepte sa décision, mais qu'il la *comprenne* de manière à pouvoir la faire sienne lorsque son état le lui permettra.

60 Ignorer les comportements indésirables d'un enfant est-il une bonne stratégie?

L'ignorance intentionnelle fait partie des stratégies que l'on pourrait qualifier d'«éducatives», plutôt que de «parentales», parce qu'elles agissent davantage sur le comportement actuel de l'enfant que sur son développement à long terme. Un petit garçon frappe le mur avec un bâton pour attirer l'attention. Nous l'ignorons. Il cesse. Une petite fille fait une crise parce qu'elle n'a pas eu le dessert qu'elle voulait. Nous la laissons faire. Ne trouvant pas de répondant, elle finit par passer à autre chose. Dans les deux cas, nous avons atteint notre but. Pourtant, en termes de développement, nous n'avons rien fait. Ce que l'enfant retient, ce n'est pas que son comportement était inapproprié, c'est qu'il n'a pas eu d'effet et qu'il lui faut donc trouver autre chose. Or le but du développement est que les enfants en viennent à faire le mieux parce qu'ils ont conscience que c'est ce qu'il y a de mieux à faire et non parce que le pire est sans effet.

L'enfant que nous ignorons ne prend conscience ni de sa détresse, ni de ses besoins, ni de sa complaisance envers lui-même, ni de ce qu'il suscite chez les autres. Au lieu d'être placé face à l'importance d'exprimer ses besoins adéquatement ou de faire l'effort de se contrôler devant les frustrations, il fonctionne par essais et erreurs sans développer de regard sur lui-même. À évoluer sur cette base, il risque de devenir quelqu'un qui considère qu'il agit bien dans la mesure où il réussit à attirer l'attention sur lui ou à obtenir ce qu'il veut, peu importe les moyens qu'il utilise.

Faire face à l'enfant en neutralisant ses excès et en lui indiquant ce qui est préférable, quand il est en état de l'entendre, constitue en tout temps la meilleure stratégie. Tous les trucs auxquels nous avons recours (faire de l'humour, changer de sujet, etc.) pour amener un enfant à se comporter comme nous le souhaitons, sans l'obliger à faire un effort de prise de conscience, comportent le travers d'être efficaces à court terme et d'ignorer le développement de l'enfant à long terme.

61 Quand j'envoie mon enfant réfléchir dans sa chambre parce qu'il s'est mal conduit, cela n'a pas d'effet. Pourquoi?

Le confinement dans la chambre demeure la mesure la plus souvent indiquée lorsque l'on doit prendre en main un enfant difficile. Mais pour qu'elle soit efficace, il faut savoir quand et comment l'utiliser. Face à un enfant qui se comporte de manière inappropriée et n'écoute rien, le recours à la chambre doit être considéré comme une mise entre parenthèses dont le premier objectif n'est pas de lui donner une leçon, mais plutôt de le neutraliser temporairement. Cela parce que l'état dans lequel il se trouve le conduit à agir de manière inconséquente et ne lui permet pas d'entretenir des relations saines avec les gens qui l'entourent. On ne l'envoie donc pas «réfléchir» dans sa chambre étant donné que son état ne lui permet pas de le faire. On le retire, le temps nécessaire pour rétablir un état qui lui permettra de réfléchir le moment venu.

La séquence peut se comprendre comme suit: une fois dans sa chambre, l'enfant est d'abord dominé par son ressentiment qui le conduit à se percevoir comme une victime et à considérer ses parents comme des tortionnaires; mais l'agressivité n'étant plus alimentée par la confrontation, il s'apaise graduellement; une fois redevenu calme, il est disposé à convenir qu'il ne s'est pas comporté au mieux et ressent un manque qui l'aidera éventuellement à évoluer. C'est ce moment que nous devons mettre à contribution pour éveiller sa conscience qui, petit à petit, deviendra suffisamment opérante pour prendre notre relais et mieux orienter son comportement futur.

Si les choses ne se passent pas de cette façon, c'est généralement parce que le parent commet une erreur en cours de route. Voici quelques-unes des erreurs les plus usuelles :

- *Le parent tarde trop à intervenir.* Plus un parent avertit, argumente, menace, etc., plus le niveau de désorganisation de l'enfant augmente et moins celui-ci est réceptif mentalement. Il en résulte que le parent qui cherchait à se soustraire à la confrontation arrive fatalement à un moment où il ne peut plus l'éviter et se retrouve face à un enfant qui est au bord de la crise. Quand on a dit à un enfant ce que l'on attend de lui, qu'on lui a expliqué pourquoi, que l'on a fait le tour de ses objections avec lui, et que malgré cela l'enfant persiste dans ce qui pose problème, c'est que sa conscience est inopérante et qu'il faut agir. Plus l'enfant est mis à l'écart rapidement, plus il est susceptible d'être capable de composer avec ses débordements sans se désorganiser.

- *Il interdit à l'enfant de jouer dans sa chambre.* Certains parents refusent que leur enfant joue dans sa chambre parce qu'ils craignent que la mesure ne soit pas suffisamment dissuasive. «Il s'en fiche, il s'amuse», se disent-ils. Agir ainsi pose un double problème : les parents s'obligent à une surveillance qui entretient le climat de confrontation et ils intensifient l'agressivité de l'enfant en se montrant exagérément contraignants. Le vrai but du retrait n'est pas de faire vivre à l'enfant une expérience dissuasive, mais de modifier son état. Or une situation trop contraignante ne le permet pas. Par ailleurs, aucun enfant n'apprécie d'être confiné dans sa chambre, quoi qu'il en dise. Il n'est pas nécessaire d'en faire davantage pour avoir un impact sur lui, à la condition de bien faire les choses.

- *Il laisse sortir l'enfant quand ce dernier le décide.* Tant qu'un enfant est dominé par son agressivité, le retrait n'a aucun effet sur lui. C'est quand il s'est calmé et qu'il se sent prêt à sortir qu'il fait l'expérience d'une certaine détresse susceptible de l'aider à modérer son comportement. L'enfant qu'on laisse sortir dès qu'il a fini sa crise ne sent pas qu'il fait l'objet d'une remise en question qui devrait l'inciter à tempérer ses excès la prochaine fois. En fait, la punition commence au moment où l'enfant est prêt à quitter sa chambre. Telle est la règle qu'il faut retenir. Il n'est pas nécessaire que la punition soit longue. L'important est que l'enfant fasse l'expérience de son manque et des enjeux liés à son attitude.

- *Il détermine à l'avance la durée du retrait.* Pour la raison qui précède, il n'est pas indiqué d'établir à l'avance la durée du retrait. Le temps peut être trop court et conduire à laisser sortir l'enfant avant même qu'il ait été un tant soit peu éprouvé par sa situation. Ou il peut être trop long et générer une détresse nocive pour lui. C'est l'évolution de l'état de l'enfant qui doit servir de repère au parent, non des barèmes prédéterminés arbitrairement.

- *Il laisse l'enfant quitter sa chambre sans revenir sur ce qui s'est passé.* Laisser l'enfant sortir de sa chambre sans discuter de ce qui s'est passé est une pratique courante qui a des conséquences doubles : on ne sait pas si l'enfant est dans une meilleure disposition d'esprit qu'auparavant ; et on ne lui fait pas réaliser le travail de mise en perspective nécessaire pour lui permettre de développer une meilleure conscience de lui-même. Un enfant ne devrait pas sortir de sa chambre tant que son agressivité détermine son comportement et s'il n'est pas capable de convenir de ses excès. C'est à ces seules conditions qu'il est possible de rétablir une alliance saine avec lui et un climat affectif propice à des expériences constructives.

Le recours à la chambre comme lieu approprié de décompression et comme incitatif devant le conduire à une attitude moins complai-

sante envers lui-même devrait améliorer la condition de l'enfant et satisfaire le parent. Et dans ce contexte, il n'y a pas de danger que l'enfant
en vienne à prendre sa chambre en aversion comme persistent à le
craindre certains parents. Les enfants sont parfaitement capables de
faire la part des choses entre le fait d'être confiné dans un lieu et ce lieu
lui-même. Et à tout prendre, ils préfèrent de beaucoup se retrouver dans
leur petit univers familier pour vivre leur moment de solitude.

62 Est-il encore pertinent de donner la fessée aux enfants ?

Il n'est certainement plus pertinent de donner la fessée aux enfants si l'on entend par là les rouer de coups en guise de châtiment pour les punir de mauvaises actions. De ce point de vue, cela ne l'a d'ailleurs jamais été. Les parents disposent de suffisamment de moyens pour sanctionner les écarts de conduite sans exposer inutilement leurs enfants à des excès de violence. Une fois que l'on a exclu les gestes s'inscrivant dans une logique punitive étroite, il reste à se demander s'il existe des situations où le recours à une tape sur les fesses, si peu souhaitable soit-il, peut être justifiable. Pour que ce soit le cas, il faut pouvoir établir que le tort que l'on cause à l'enfant en lui donnant la tape en question est moins grand que celui qu'on lui causerait en s'en abstenant. Or l'expérience démontre que cette éventualité existe.

Parmi les parents qui font une demande d'aide parce qu'ils ne savent plus comment venir à bout de leur enfant, un certain nombre insistent sur le fait qu'ils ont toujours eu trop à cœur le bien-être de l'enfant pour envisager de lever la main sur lui. Mais ils admettent du même souffle être à ce point ulcérés par ses crises incessantes qu'ils en sont rendus à le prendre en aversion. Certains avouent avoir été jusqu'à le menacer d'abandon, alors que d'autres confessent s'être pris à souhaiter le voir disparaître. La question qui se pose alors est la suivante : Qu'est-ce qui est le plus grave pour un enfant : recevoir une tape sur les fesses ou être détesté par ses parents ? C'est dans ce contexte bien particulier où se lier les mains risque de conduire à une violence émotionnelle hautement dommageable pour l'enfant que la perspective d'une intervention physique peut se concevoir. L'objectif n'est pas alors de châtier l'enfant, mais de prendre le contrôle de la situation avant qu'elle ne dégénère.

Tant qu'un enfant n'est pas trop confrontant, les problèmes peuvent être aisément réglés. On le sermonne quand il s'oublie. On doit à l'occasion lui confisquer un jouet ou l'envoyer «réfléchir» dans sa chambre[15]. Puis tout rentre dans l'ordre. C'est lorsque l'opposition devient systématique et que les affrontements se multiplient qu'un parent peut juger nécessaire de faire un geste de nature à arrêter l'escalade. C'est le plus souvent quand le retrait en chambre ne constitue pas un choix valable, et que le parent se trouve de ce fait coincé dans un face-à-face stérile avec son enfant, que les rapports se détériorent le plus. Deux situations peuvent devenir des pièges :

- quand envoyer l'enfant dans sa chambre n'est pas une solution parce que ce qui lui est demandé doit être fait et que *le retrait ne règle rien*. Confiner un enfant à sa chambre parce qu'il ne veut pas faire ses devoirs ou prendre son bain ne mène nulle part s'il ne fait toujours pas ce qu'il doit ;
- quand *l'enfant s'y oppose avec force*. Lorsqu'un enfant casse tout dans sa chambre ou refuse d'y demeurer, le retrait peut difficilement jouer le rôle structurant qu'on attend de lui.

Il est nécessaire que les enfants fassent leurs devoirs et prennent leur bain. Comme il est nécessaire qu'ils acceptent d'être mis entre parenthèses lorsque leur état ne leur permet pas de vivre des rapports sains avec leur entourage. Le parent soucieux de bien élever son enfant sait qu'il doit persister dans ses exigences. Mais il sait aussi qu'en agissant de la sorte, il court le risque d'un dérapage émotionnel. Pour l'éviter, il doit fixer une limite à ne pas dépasser et s'assurer qu'elle soit respectée. Dans ce contexte, une tape sur les fesses peut lui servir d'argument ultime. Pour espérer obtenir l'effet escompté, le parent qui retient cette option doit cependant respecter une règle fondamentale : son action doit toujours être le résultat d'un choix plutôt que d'une

---

15. Voir la question 61.

impulsion. Lorsqu'un parent frappe son enfant sous le coup de l'exaspération («Ma main est partie toute seule!»), son geste est doublement inacceptable: parce qu'il est incontrôlé, donc dangereux, et parce qu'il comporte une charge hostile nocive pour l'enfant. C'est malheureusement ce qui se passe bien souvent et contribue à donner si mauvaise presse aux actions de ce genre. Le geste du parent doit servir à prévenir l'escalade, non en constituer l'aboutissement.

Pour avoir du sens, l'intervention du parent doit s'inscrire dans le contexte d'une réprobation réfléchie plutôt que ressentie. L'attitude parentale doit refléter de la détermination, non du ressentiment. Elle ne doit pas témoigner d'un désir de dominer l'enfant, mais d'une volonté de l'amener à se dominer lui-même. L'objectif n'est pas de lui faire mal, mais de le saisir pour qu'il fasse l'effort de se contrôler. Une tape sur les fesses donnée avec mesure et discernement pour des raisons valables, dont l'enfant pourra reconnaître le bien-fondé après coup, ne laissera pas de séquelles à long terme. Bien sûr, elle comporte un élément de souffrance. Mais les piqûres aussi et personne n'en conteste l'usage. Par ailleurs, le seul fait de ne pas se fermer à l'idée d'y recourir peut rendre un parent suffisamment assuré dans ses interventions pour le dispenser d'avoir à le faire, ce qui demeure toujours l'éventualité la plus souhaitable.

Comment réagir devant un enfant qui nous menace de nous dénoncer à la police si nous le touchons?

La violence faite aux enfants existe et elle doit être réprimée. Il est important que les enfants soient informés de leurs droits et encouragés à faire état des traitements abusifs dont ils sont l'objet. Comme il est important qu'ils puissent recevoir toute l'aide et la protection dont ils ont besoin, ce qu'a permis la création d'organismes chargés de veiller à leur bien-être. L'effet pervers de cette entrée en scène d'une «police de la famille» est qu'elle ouvre la porte à des abus d'un autre ordre: elle incite les enfants à brandir le spectre de l'intervention judiciaire pour court-circuiter les parents dans leur travail éducatif. Et comme c'est souvent le cas en matière d'agression sexuelle et de violence, les plus prompts à dénoncer les mauvais traitements qui leur sont infligés ne sont pas nécessairement ceux qui auraient le plus de raisons de le faire. L'enfant d'un parent impulsif et violent y pensera à deux fois avant de menacer ce dernier d'une dénonciation, conscient que sa démarche pourrait bien avoir l'effet contraire de celui qui est visé.

Dans la majorité des cas, les enfants font très bien eux-mêmes la part des choses. Ceux qui se risquent à invoquer indûment le respect de leurs droits pour infléchir le cours des événements lorsqu'ils sont punis le font du bout des lèvres, sans grande conviction. Ils savent qu'ils sont en faute. Ils savent que leurs parents sont justifiés de les confronter. Ils essaient seulement de limiter les dégâts en utilisant tous les arguments pouvant jouer en leur faveur. Les parents le ressentent bien et n'en font généralement pas de cas. La suite leur donne raison, car, une fois l'orage passé, il reste peu de chose de la conviction d'être lésé et encore moins de la détermination à en faire état devant des tiers.

Certains enfants persistent cependant dans leurs récriminations, même si elles sont sans fondement. Ils jettent les hauts cris dès qu'un de leurs parents leur serre un peu le bras. Ils reviennent à la charge longtemps après avoir été sanctionnés pour lui rappeler qu'il a été trop sévère, qu'il leur a fait mal. Certains vont même jusqu'à alarmer l'entourage, en laissant entendre qu'ils sont victimes de mauvais traitements. Le parent est alors forcé de se justifier, lui qui se situe pourtant bien souvent aux antipodes de la violence. Pour qu'un enfant se sente si facilement maltraité, il faut qu'on lui ait communiqué l'impression qu'il l'était. C'est le cas lorsqu'il est élevé par des parents qui projettent sur lui leur propre détresse héritée d'une enfance difficile. Ils lui témoignent un excès d'égards, s'inquiètent du moindre inconfort, ne tolèrent pas de le voir indisposé, exagèrent ses tourments, sont bouleversés de devoir le contrarier. À voir ses parents si éprouvés par ce qu'il vit, l'enfant en vient à croire qu'il est vraiment une victime, en dépit de toutes les attentions qui lui sont prodiguées. De là sa grande réactivité lorsque la réalité lui donne un tant soit peu raison. La moindre manifestation de sévérité est perçue comme un geste de persécution.

Être exposé aux ingérences potentielles d'instances judiciaires a de quoi rendre un parent hésitant. S'il continue à exercer la pression nécessaire pour se faire obéir, ne risque-t-il pas d'être mis sous tutelle, voire, à la limite, d'être dépossédé de ses enfants? Ne vaut-il pas mieux qu'il se montre conciliant et préserve, ce faisant, l'intégrité familiale? Le parent qui choisit cette dernière option ne se rend pas compte qu'elle l'éloigne de son objectif. Il renonce à affirmer son autorité pour pouvoir demeurer un parent. Mais en renonçant à affirmer son autorité, il cesse d'être un parent.

Être parent, c'est être un facteur de développement. Notre mandat est de faire de notre enfant quelqu'un de bien que nous pourrons aimer. À partir du moment où nous renonçons à faire ce que nous considérons comme le plus souhaitable, nous sacrifions en quelque sorte la substance pour sauver la forme. Nous nous organisons pour demeurer avec notre enfant, ce qui nous permet de croire que nous sommes toujours un parent, mais nous renonçons à faire ce qui donne son sens à notre présence auprès de lui. Pour éviter de tomber dans ce type de contradiction, le mieux est de choisir d'être un véritable parent et d'en assumer les conséquences en ayant conscience que, quitte à avoir des enfants sans endosser le rôle de parent, il vaudrait mieux être un parent sans enfants…

64 Notre enfant nous cause tant de problèmes que nous n'osons plus sortir avec lui. Que faire ?

Les difficultés éprouvées en public ne font bien souvent que révéler les lacunes éducatives qui règnent à la maison. Les enfants sont en effet rarement très différents selon qu'ils se trouvent chez eux ou à l'extérieur. Ce qui change, c'est le niveau de tolérance du milieu dans lequel ils se trouvent.

Les enfants avec lesquels on s'abstient de sortir parce qu'ils s'excitent trop, cassent tout, n'écoutent rien, sont impolis, etc., se comportent sensiblement de la même façon à la maison. À ceci près que leurs excès n'incommodent pas suffisamment les parents pour les inciter à intervenir avec la détermination nécessaire. Une fois que ces enfants se retrouvent à l'extérieur, la situation n'est plus la même parce que d'autres personnes sont concernées. C'est la pression exercée par ces personnes qui force les parents à se montrer plus fermes. Mais leur sévérité reste sans effet parce qu'elle ne fait pas le poids devant le chaos émotionnel généré par le manque chronique d'encadrement à la maison.

Pour ajouter encore à la difficulté, certains parents se bornent à reprendre leur enfant du bout des lèvres, car ils ne sont pas convaincus que ce qu'il fait est si répréhensible. L'enfant peut endommager du matériel, s'approprier ce qui ne lui appartient pas, interpeller des gens qu'il ne connaît pas. Son besoin fait loi. Ce qui vise à y mettre un frein est ressenti comme opprimant, et endossé à contrecœur. L'enfant voit alors dans l'attitude de ses parents la confirmation qu'il est lésé dans ses droits, et se désorganise davantage au lieu de remettre son fonctionnement en question.

Même le parent le mieux intentionné ne peut régler ce problème s'il ne prend pas conscience que la solution passe par la maison. Pour cesser d'être à la remorque des regards extérieurs, il doit rendre opérationnel son propre témoin intérieur. Concrètement, il s'agit pour lui de se comporter à la maison avec son enfant comme il le ferait s'il était en public. Plus il augmentera ses exigences à la maison, plus les effets se feront sentir lorsqu'il sortira. L'enfant se trouvera dans de meilleures dispositions dès le départ et sera plus réceptif aux rappels à l'ordre par la suite. Des affrontements se produiront encore – tous les parents en connaissent –, mais il sera possible de les gérer et ils auront tendance à s'espacer si les conditions d'un bon encadrement sont respectées avant, pendant et après la sortie.

- *Avant,* il convient de procéder à ce que l'on pourrait appeler une «injection de conscience» en mettant la situation en perspective par anticipation. On dit à l'enfant ce que l'on sait qu'il va faire, pourquoi il ne doit pas le faire et ce qui lui arrivera s'il le fait : «Dès que tu vas mettre le pied dans le magasin, tu vas vouloir courir dans les allées…» ou «Cinq minutes après le début du spectacle, tu vas vouloir te lever…» L'objectif est de lui faire prendre du recul pour avoir plus facilement accès à sa raison lorsque celle-ci commencera à être submergée par l'excitation.

- *Pendant,* il faut intervenir dès les premiers signes d'agitation au lieu de multiplier les avertissements jusqu'à ce que la situation ne soit plus tolérable. On s'isole avec l'enfant pour ne pas se donner en spectacle et on le reprend fermement en le maintenant en retrait si nécessaire. Peu importe où l'on se trouve, il est presque toujours possible de se retirer avec l'enfant du contexte perturbant, le temps que son attitude devienne plus satisfaisante.

- *Après,* au retour, si son comportement a été la cause d'une sortie ratée, il est avisé d'envoyer l'enfant dans sa chambre. Il réalisera ainsi que s'il a pu profiter de l'impuissance relative de ses parents pour se permettre des écarts inacceptables, ceux-ci ne demeurent pas pour autant sans conséquences.

C'est lorsque nous sortons en public avec nos enfants que nous avons la vraie mesure de la qualité de l'éducation que nous leur donnons. Nous résigner à la réclusion, c'est renoncer à voir la réalité telle qu'elle est.

Mon enfant me rend la vie impossible. Je veux m'en sortir. Par où dois-je commencer ?

Il y a plusieurs façons de se retrouver en difficulté avec un enfant, mais une seule d'en sortir. Un enfant peut devenir quelqu'un d'insupportable s'il est élevé par des parents qui le placent sur un piédestal aussi bien que s'il fait l'épreuve d'expériences de rejet, s'il est couvert d'attentions aussi bien que s'il est négligé. Les chemins qui conduisent à un fonctionnement problématique sont variés et en analyser le parcours peut être utile pour trouver la meilleure attitude à adopter face à l'enfant. Mais quelles que soient les raisons pour lesquelles l'enfant que l'on désirait affectueux, obéissant et enjoué se montre boudeur, opposant et vindicatif, l'impératif est toujours le même : rétablir un état propice à une évolution favorable.

Pour vivre des rapports harmonieux avec son entourage, l'enfant doit être bien dans sa peau. Pour être bien dans sa peau, il faut qu'il se sente aimé. Et pour être aimé, il faut qu'il se trouve dans un état qui lui permette de susciter de l'affection. C'est le contraire qui se passe chez l'enfant qu'un développement lacunaire a rendu agité, indiscipliné et agressif. Il indispose d'emblée son entourage et canalise sur lui un ressentiment qui perpétue son malaise intérieur, origine de son fonctionnement chaotique : il n'est pas aimé parce qu'il est désagréable, il est désagréable parce qu'il souffre, il souffre parce qu'il n'est pas aimé…

On pense souvent qu'il suffit de prodiguer de l'affection à l'enfant pour le rendre aimable. Le parent aborde son enfant avec douceur, le traite avec égards, se met à l'écoute de ses besoins et cherche à lui faire plaisir en espérant que, se sentant aimé, il sera mieux disposé à son endroit. Cette stratégie est vouée à l'échec parce qu'elle fait abstraction d'une loi qui touche le fondement même des relations humaines : on ne peut aimer que ce qui est aimable. On peut décider des attitudes que l'on adopte, mais pas des émotions que l'on ressent. Le parent affligé d'un enfant déplaisant qui n'est jamais satisfait, n'écoute rien et s'oppose à tout peut opter pour une attitude conciliante, mais ne peut faire l'expérience intime de l'affection que l'attitude qu'il a choisie est censée refléter. C'est qu'en réalité rien ne sollicite cette affection. En ce cas, la bienveillance du parent n'est qu'une illusion masquant la nature profonde de ses sentiments. Le regard de ce parent ne communiquera rien de la tendresse dont l'enfant aurait besoin pour trouver un équilibre intérieur. La stratégie à privilégier n'est donc pas d'aimer pour rendre aimable, mais plutôt de rendre aimable pour aimer.

Le parent dépassé qui veut renverser la vapeur et repartir sur de nouvelles bases avec son enfant peut y parvenir en appliquant cette simple règle : si mon enfant est bien en ma présence, je le garde auprès de moi ; sinon, je l'éloigne. Le raisonnement explicite de ce parent sera le suivant : « Si mon enfant est dans un état qui me permet de le faire vivre en moi comme quelqu'un de bien, je le maintiens sous mon regard pour qu'il en profite. Si son état se détériore, je le mets entre parenthèses pour qu'il n'en subisse aucun préjudice intérieur. Ainsi, je lui donne accès à l'affection dont il a besoin pour se construire tout en l'empêchant de canaliser sur lui des regards susceptibles de le détruire. » Les modalités peuvent varier selon les situations, mais le principe demeure toujours le même : tirer profit des bons moments et neutraliser l'enfant dès que l'agressivité infiltre son fonctionnement.

Les parents à qui l'on propose d'agir de cette manière formulent tous la même objection : « Mais il va passer son temps dans sa chambre. » Leur raisonnement se comprend comme suit : « Mon enfant doit être confiné dans sa chambre lorsqu'il est difficile ; or, comme il est toujours difficile, il sera toujours dans sa chambre. » C'est bien mal connaître les facultés d'adaptation des enfants. Mais surtout, c'est sous-estimer l'effet positif que peut avoir un encadrement sain. L'enfant dont on contrôle les débordements est plus plaisant à vivre et suscite en conséquence davantage d'affection ; cela diminue sa détresse intérieure qui est à l'origine de l'agressivité l'incitant à adopter les comportements inappropriés qui le mènent à sa chambre. Il s'ensuit une diminution rapide des retraits dans la chambre que l'on craignait voir se perpétuer.

Une fois le climat assaini, le parent peut avoir le recul nécessaire pour trouver en quoi sa relation avec son enfant a dérapé et comment il pourrait y remédier sur un plan plus profond.

66 Que faire quand on a tout essayé, en vain, pour venir à bout d'un enfant?

Être un parent n'est pas «essayer» des choses, c'est *tenir une position*. La différence relève pour beaucoup de l'état d'esprit dans lequel on aborde l'enfant lorsqu'il est nécessaire de se confronter à lui. Par définition, lorsque l'on essaie des choses, c'est que l'on doute du résultat. Le parent qui utilise tour à tour la douceur et la fermeté, la négociation et la menace, les récompenses et les punitions mise sur l'efficacité de ces stratégies au lieu de miser sur sa détermination. S'opposent dès lors le comportement inapproprié de l'enfant et la technique parentale visant à le corriger. Lequel va l'emporter? Le parent croise les doigts ou joint les mains en espérant que sa méthode va fonctionner. L'issue est incertaine. Tout dépend de la réceptivité de l'enfant. Veut-il suffisamment la récompense? Est-il sensible aux menaces? Craint-il assez la punition? Ce n'est pas de cette façon qu'il faut voir les choses.

Tenir une position parentale signifie dire ce qui doit être fait, expliquer pourquoi cela doit être fait et s'organiser pour que cela soit fait. Nous n'avons pas à «miser» sur la stratégie utilisée, mais à nous fier à la détermination qui nous meut et qui vient de l'alliance que nous avons faite avec notre enfant lors de sa naissance, lorsque nous avons accepté le mandat de faire de lui ce qu'il pourrait être de mieux.

Nous n'avons pas à louvoyer, à menacer, à introduire quelque système de renforcement ou à additionner des mesures de représailles. Nous devons simplement dire à l'enfant ce que nous attendons de lui et lui donner l'explication qui alimente sa conscience et garantit le maintien de l'alliance faisant que, peu importe la nature de ses réactions, il sait quelque part en lui que nous avons raison. Puis, nous devons faire en sorte que ce que nous attendons se réalise, en prenant les mesures appropriées.

L'enfant réagit aux mesures concrètes auxquelles le parent a recours pour arriver à ses fins (réprimande, confinement dans la chambre). Mais il réagit au moins autant à l'attitude de celui ou celle qui y a recours. C'est ce qui explique que deux parents puissent imposer les mêmes sanctions et obtenir des résultats différents.

Plutôt que l'inquiétude éprouvante de celui qui n'est sûr ni du chemin ni des moyens et lui communique son désarroi, l'enfant doit voir dans les yeux du parent la détermination sereine de celui qui sait que ce qu'il fait est le plus souhaitable, et est prêt à le faire aussi longtemps qu'il le faudra parce que c'est le chemin par lequel passe le bien-être de l'enfant.

67 En dépit de ses multiples écarts, je rassure mon enfant en lui disant que je l'aimerai toujours. Ai-je raison?

Même s'il part d'une bonne intention, ce genre d'engagement n'est ni réaliste ni profitable. Il n'est pas réaliste parce que l'on ne peut présumer de ce que seront nos sentiments dans l'avenir; ceux-ci ne se commandent pas. Il n'est pas profitable parce qu'il prive le parent de ce qui pourrait être sa dernière chance de faire évoluer son enfant vers un meilleur équilibre personnel. En effet, face à un enfant qui présente un grave problème d'attitude conduisant à des écarts de conduite généralisés que l'on parvient tant bien que mal à juguler par un encadrement serré, mais sans jamais toucher assez l'enfant pour qu'il remette véritablement en question sa façon d'être, une option reste au parent: remettre le lien même en question, désinvestir son enfant.

Lorsque cette éventualité est évoquée, elle suscite toujours un mouvement de recul tant elle paraît excessive. S'agit-il d'abandonner son enfant? De le mettre en quarantaine? Ne va-t-il pas se sentir rejeté? Se détériorer davantage? Que l'on se rassure. Désinvestir un enfant, ce n'est ni l'abandonner à lui-même ni le rejeter. Et si l'exercice peut être éprouvant pour l'enfant, comme d'ailleurs pour le parent, il n'est pas destructeur pour autant. *Désinvestir* notre enfant, c'est cesser de le faire vivre en nous, éteindre le regard que nous portons habituellement sur lui. Nous continuons à nous occuper de lui, comme nous avons le devoir de le faire. Nous le nourrissons, le soignons, supervisons ses devoirs, l'encadrons. Bref, nous répondons à tous ses besoins — sauf un, celui d'exister à nos yeux. Ce que nous communiquons alors à l'enfant est exactement l'inverse de ce que proposait la question initiale. Le message n'est plus: «En dépit du fait que je ne suis pas capable de jouer mon rôle de parent en t'élevant convenablement, je continue à t'aimer», mais plutôt: «Je continuerai à tenir ma position de parent, mais je ne suis pas obligé de t'aimer.» Attention, il ne s'agit pas ici d'investir l'enfant négativement, comme certains sont portés à le croire; de se mettre à le bouder, à l'invectiver, voire à le dénigrer. Même si l'analogie n'est pas parfaite, ce que nous sommes appelé à vivre se compare à ce qui se passe lorsque nous gardons un petit voisin. Nous assumons pleinement les responsabilités que nous avons prises lorsque nous avons accepté qu'il nous soit confié. Mais il ne représente rien à nos yeux. De la même façon, avec encore plus de rigueur cependant, nous établissons avec notre enfant un rapport qui laisse place à la familiarité, mais pas à l'intimité.

Ceux qui se demandent comment un tel virage se traduit concrètement peuvent s'appuyer sur les quatre repères suivants: pas d'affection, pas d'intérêt, pas d'attentions, pas de privilèges. Plus d'expression de tendresse, plus de bonjour ou de bonsoir, plus d'attitudes concernées face aux mille et une péripéties du quotidien, plus de disponibilité pour applaudir les exploits, plus de ces petits extras auxquels on s'adonne pour égayer l'existence, plus de ces demandes auxquelles on accède par souci de faire plaisir. L'objectif n'est pas d'infliger une punition à l'enfant, mais plutôt de le placer face à sa solitude pour l'amener à se resituer intérieurement par rapport à ses écarts ponctuels. Nous lui signifions clairement que ce que nous remettons en question, ce n'est pas seulement ce qu'il fait, mais ce qu'il *est*. Nous éteignons notre regard parce qu'il perpétue une façon d'être que nous ne pouvons cautionner. Pour cette raison, nous ne pouvons plus le faire vivre en nous comme auparavant. Ou bien il change, ou bien il est seul.

Que nous soyons en présence d'un enfant qui méprise ses parents parce qu'ils ont eu le tort de lui laisser croire qu'il leur était supérieur, qui cultive un perpétuel ressentiment envers eux pour un préjudice dont les origines se perdent dans les vicissitudes de son développement, qui traîne une mauvaise humeur permanente parce qu'il n'accepte pas d'avoir à faire l'effort de s'adapter aux exigences de la réalité, qui fait systématiquement le choix de la facilité quand vient le temps de donner sa pleine mesure, qui fait preuve d'un manque de respect de soi chronique au point de renier ce qu'il est pour répondre aux attentes de ses amis, les options restent les mêmes. Ou bien l'enfant va dans le sens de la complaisance envers lui-même et s'accroche à ses illusions; ou bien il incarne ce que le parent estime être le mieux le concernant, auquel cas il est justifié de demander qu'on le reconnaisse comme tel. Confrontés à un tel choix, les enfants font celui d'exister.

Le désinvestissement d'un enfant n'est pas un «truc» que l'on utilise sur commande pour une période donnée. Un parent y vient spontanément parce que ce qu'est son enfant ne lui convient pas. Il en revient quand ce qu'il est lui convient. C'est lui qui détermine le temps que cela durera. On peut bien sûr mettre un enfant à distance ponctuellement quand il dépasse les bornes, pour le faire réfléchir. Avec succès. Mais face aux problèmes de fond qui exigent une véritable mise en question du lien, on ne peut se contenter de demi-mesures. Lorsque l'on s'engage dans le désinvestissement d'un enfant en croisant les doigts pour que cela fonctionne rapidement parce que l'on n'est pas intérieurement prêt à en assumer les conséquences, l'enfant n'est pas long à déceler l'imposture et à se rendre compte que ce n'est pas lui qui souffre le plus dans la situation. Comme l'on dit que la plus grande force d'un guerrier ne réside pas dans son aptitude à se battre mais dans sa capacité d'accepter la mort, on peut dire que le parent qui a le plus de chances de faire évoluer son enfant positivement est celui qui est prêt à accepter la mort de sa relation avec lui.

QUATRIÈME PARTIE

L'ENFANT, SA FAMILLE ET LA SOCIÉTÉ

■

«Dis-moi qui tu préfères…»

Confrontés à un enfant qui les harcèle pour savoir lequel de leurs enfants ils préfèrent, les parents s'en remettent souvent à des formules générales du type «Un parent aime tous ses enfants également». Puis ils considèrent la question réglée jusqu'à ce qu'elle resurgisse et commande une nouvelle mise au point qui s'avère généralement tout aussi insatisfaisante. Voici pourquoi.

Il faut d'abord savoir que les enfants ne sont pas portés à poser spontanément ce genre de question. Ils s'accommodent assez bien du partage nécessaire qu'impose la réalité familiale tout en demeurant cependant à l'affût de la moindre injustice, prêts à dénoncer la décision arbitraire qui pourrait être interprétée comme l'expression d'un parti pris inacceptable en faveur du frère ou de la sœur. Dans ce cas, ils ne revendiquent pas un statut particulier, ils cherchent simplement à préserver leurs acquis affectifs.

Lorsqu'un enfant soulève la question des préférences, c'est qu'il fait l'expérience d'un malaise particulier. Non qu'il se sente rejeté, car dans ce cas il ne prendrait pas le risque de se le faire confirmer en abordant ouvertement le sujet. Pour qu'un enfant se permette de poser la question, il faut qu'il s'attende à ce que le verdict lui soit favorable. Mais le fait qu'il ressente la nécessité de la poser indique que ce qu'il éprouve au quotidien ne va pas nécessairement dans le sens de sa conviction.

Les enfants qui sont les plus susceptibles de faire l'expérience de ce genre de contradiction sont ceux envers lesquels les parents entretiennent de fortes attentes, davantage en rapport avec leurs besoins personnels qu'avec ceux de l'enfant. Pour l'un, l'obligation imposée consistera à faire la démonstration de sa supériorité intellectuelle, pour un autre, de sa maturité, pour un troisième, de son altruisme, etc. Ces enfants grandissent avec le sentiment qu'ils doivent en faire plus s'ils veulent avoir accès à ce que leurs frères ou leurs sœurs obtiennent sans effort apparent, et ils cherchent activement la confirmation que ce n'est pas en vain.

Le problème est que les enfants auxquels les parents en demandent plus sont habituellement d'un naturel plus déplaisant parce que le fait même d'avoir à faire abstraction de certains besoins légitimes leur fait connaître des insatisfactions qui teintent leur humeur d'agressivité. Ils peuvent donc se révéler plus désagréables à côtoyer que les enfants sur lesquels les parents exercent peu de pression et qui ressentent le quotidien comme moins contraignant. C'est pourquoi les premiers se retrouvent dans la position paradoxale d'avoir l'ultime conviction de mériter plus d'affection que les autres, tout en faisant l'expérience objective d'être moins aimés.

Nous ne pouvons laisser un enfant s'aventurer sur le terrain des préférences affectives, quels que soient ses motifs. Mais nous ne pouvons pas faire abstraction de la détresse qui se dissimule derrière son interrogation. Le parent qui fournit une réponse évasive en banalisant la question passe à côté de l'hostilité implicite éprouvée, et dans ce cas exprimée à l'égard des autres enfants, ainsi que de la souffrance qui en est à l'origine. Il doit au contraire intervenir parallèlement aux deux niveaux. Dans un premier temps, le parent doit réprimander l'enfant qui s'est permis de poser une telle question sans égard pour ceux à qui elle pourrait porter préjudice (ses frères et sœurs) et lui indiquer qu'il n'y répondra pas parce qu'elle ne se pose pas. Mais il doit aussi, dans un second temps, s'interroger sur ce qui peut avoir conduit l'enfant à soulever cette question, en ayant à l'esprit que les enfants qui sont portés à se comporter ainsi ne sont pas ceux qui se sentent rejetés ni ceux qui se sentent favorisés, mais plutôt ceux qui considèrent que nous avons une dette envers eux.

Il est jaloux de sa sœur, la déprécie, la brutalise…

Le conseil le plus fréquemment donné aux parents qui ont un enfant jaloux est relativement invariable: montrer à l'enfant qu'il n'a pas de raison d'être jaloux, et saisir toutes les occasions pour lui témoigner de l'affection. La solution semble pleine de bon sens – pourtant, elle ne fonctionne pas. Les parents ont beau multiplier les attentions, se montrer conciliants à l'endroit de l'enfant, prendre soin de ne rien dire ou faire qui pourrait passer pour du parti pris. Rien n'y fait. L'enfant demeure aux prises avec une rancœur qui le mine et le conduit à des débordements agressifs injustifiés, qu'il cherchera éventuellement à rendre acceptables en utilisant le couvert du jeu pour chahuter en faisant mal, ou celui de l'humour pour assener une remarque cinglante.

Pourquoi en est-il ainsi? Parce que le parent qui prend le parti de rassurer passe à côté d'un constat fondamental qui modifie complètement la perspective. Ce constat peut se résumer de la façon suivante: quand un enfant est jaloux, c'est qu'il a des raisons de l'être. En d'autres termes, lorsqu'un enfant se sent moins aimé, c'est qu'il l'est. Et les efforts déployés pour lui prouver le contraire ne font pas le poids devant l'expérience de la réalité. C'est pour cela qu'ils sont voués à l'échec. L'affirmation paraît excessive parce qu'elle est formulée sans nuances. Pour comprendre la situation affective qu'elle décrit, il faut la situer dans le contexte développemental auquel elle fait référence.

Les problèmes de jalousie mettent généralement en scène, au départ, un enfant difficile à élever et des parents quelque peu dépassés. Les parents ont un enfant pour lequel ils éprouvent de l'affection mais qu'ils trouvent demandant, exigeant et dont le tempérament s'harmonise mal avec le leur. Arrive alors un autre enfant, plus facile, avec lequel ils ont davantage d'affinités. Ils ressentent la différence mais ne peuvent l'assumer et cherchent activement à la nier. C'est à ce moment-là que le dérapage s'amorce[16].

Sans trop s'en rendre compte, les parents commencent à faire preuve d'une retenue exagérée dans leurs élans affectifs face à l'enfant plus gratifiant, comme s'ils avaient quelque chose à cacher, signifiant par le fait même leur partialité. Et ils sont parallèlement portés à se montrer plus indulgents et tolérants face à l'enfant difficile, qui le devient du coup davantage et les indispose encore plus.

Un fossé émotionnel se creuse alors, qui va en s'élargissant. L'enfant jaloux est de plus en plus détestable, se sent de moins en moins aimé et en fait le reproche à ses parents qui continuent à se montrer conciliants parce qu'ils ne peuvent assumer l'exaspération croissante qu'ils ressentent à son endroit. On aboutit parfois à une situation de vie où tout est comptabilisé, soupesé dans les moindres détails de manière à ne laisser place à aucune accusation de favoritisme. L'enfant l'exige afin d'éviter que la réalité objective ne vienne confirmer ce qu'il sait déjà quelque part en lui-même. Les parents acceptent cette situation pour la même raison.

Le mensonge originel continue pourtant à faire son œuvre en sourdine et teinte les comportements de l'enfant d'un ressentiment croissant que les parents ont peine à s'expliquer tant il leur paraît évident qu'ils font tout pour le rendre heureux. Quels que soient les motifs ayant rendu un enfant jaloux, le chemin pour en sortir est toujours le même : il faut d'abord convenir qu'il a des raisons de l'être ; et il faut ensuite faire en sorte qu'il n'en ait plus.

Le premier pas que les parents doivent faire consiste à assumer les sentiments contradictoires qu'ils éprouvent à l'égard de leur enfant. Il ne s'agit pas de lui dire qu'ils le détestent, mais seulement de reconnaître pour eux-mêmes ce que cet enfant leur fait vivre et d'accepter

---

16. Les situations peuvent varier, mais le processus demeure le même.

leurs limites personnelles sans se juger trop sévèrement. Pour autant qu'ils sont également concernés par le bien-être de chacun de leurs enfants, ils ne sont pas en faute et n'ont pas à tolérer les reproches qui leur sont adressés. Ils doivent cesser de laisser leur inconfort intérieur paralyser leur spontanéité, et s'organiser pour vivre les meilleurs rapports possibles avec leurs enfants.

Une fois qu'ils se sont resitués face à eux-mêmes, il reste aux parents à modifier leur attitude en conséquence : ils doivent éviter de se laisser entraîner dans l'objectivation à outrance et se fier à *leur jugement* plutôt qu'à des critères rigides d'équité pour les décisions à prendre et les gestes à faire. De la même façon, ils n'ont plus à éprouver de scrupules à exprimer leur affection à l'autre enfant ou à reconnaître ouvertement sa valeur. De plus, ils doivent protéger l'intégrité de celui-ci en punissant sévèrement les agressions, aussi bien verbales que physiques, dont il peut être l'objet, afin d'éviter qu'il ne se retrouve lui-même en difficulté personnelle ; de fait, cet enfant n'a pas à subir les contrecoups d'une violence qui ne le concerne pas.

Face aux déferlements agressifs que ces changements d'attitude vont contribuer à intensifier, les parents devront renverser la perspective et indiquer à l'enfant que ce n'est pas à eux de faire la preuve qu'ils l'aiment, mais à lui de faire la preuve qu'il mérite d'être aimé. Au lieu de déployer son énergie pour faire reconnaître sa valeur, il doit s'efforcer d'acquérir une valeur qui mérite d'être reconnue. Pour que l'exercice soit possible, les parents ne doivent cependant pas se contenter d'attendre que l'enfant soit devenu agréable à vivre ; ils doivent au contraire veiller à ce qu'il le devienne en l'encadrant de telle sorte qu'il n'ait plus l'occasion de se rendre détestable. Un regard parental sain, dépourvu de peur et de ressentiment, atténuera le sentiment de détresse intérieure de l'enfant, de même que l'agressivité qui en découle, et permettra à ce dernier de s'ouvrir à ce qu'il peut y avoir d'enrichissant dans la relation privilégiée avec une sœur ou un frère.

70 Peut-on prétendre aimer tous ses enfants également ?

Tout parent digne de ce nom considère qu'aimer tous ses enfants de la même façon va de soi. La réalité n'est pas toujours aussi simple. Il arrive qu'un père ou une mère soit plus à l'aise avec l'un de ses enfants et se sente coupable d'éprouver ce qui lui paraît être une préférence inacceptable. Ce n'est pas nécessairement le cas.

Chaque adulte porte en lui un parent et un enfant. Comme parent, il est concerné dans une égale mesure par tous ses enfants et animé par la même préoccupation de faire de chacun d'eux ce qu'il peut être de mieux. Mais l'enfant qu'il est resté peut avoir plus d'affinités avec l'un ou l'autre de ses enfants. Ce n'est pas qu'il l'aime davantage, c'est tout simplement que cet enfant lui correspond mieux.

Certains parents vont être plus ou moins à l'aise avec un enfant selon qu'il est calme ou remuant, docile ou rebelle, réservé ou expressif, dépendant ou autonome, selon qu'il a le regard triste ou rieur, un tempérament artistique ou sportif, selon qu'il est un garçon ou une fille, etc. De telles affinités sont inévitables. La question n'est donc pas de savoir si on a le droit de les éprouver, mais plutôt d'apprendre à composer avec elles.

Le parent qui est au fait de ses préférences doit d'abord éviter qu'elles influencent ses décisions. Il doit pour cela prendre soin de s'appuyer en tout temps sur des principes de justice et d'équité plutôt que se laisser guider par l'impulsion du moment. Il doit ensuite s'assurer que ces préférences ne dénaturent pas le regard qu'il porte sur ses enfants. Il lui faut pour cela prendre conscience du fait que la valeur de l'enfant qui lui fait face ne tient pas, et ne doit pas tenir, à l'effet que cet enfant produit sur lui, mais à ce qu'il incarne dans la réalité. Ce n'est pas parce que l'on est bien avec un enfant que cet enfant est quelqu'un de bien. L'inverse est aussi vrai. Chaque enfant est en droit d'attendre de ses parents qu'il lui donne l'heure juste sur lui-même, sans être biaisé par sa propre expérience.

Du point de vue affectif, un parent n'est pas en faute si sa façon d'être le porte naturellement à se sentir plus à l'aise avec l'un de ses enfants, pour autant qu'il soit également concerné par chacun des autres. Il le devient seulement à partir du moment où il laisse ses expériences personnelles biaiser son jugement et déformer le regard qu'il porte sur tous ses enfants.

71 Comment favoriser de bonnes relations entre frères et sœurs?

Les frères et sœurs ont en commun de n'avoir pas fait le choix de vivre ensemble et de revendiquer l'affection exclusive des mêmes personnes. Rien pour faciliter les choses! On peut donc s'attendre à des étincelles par moments. D'autant plus que les enfants évoluent dans un contexte de grande familiarité, peu propice à la retenue. En fait, il est à ce point normal qu'il y ait des frictions occasionnelles entre eux, que leur absence pourrait être considérée comme suspecte. Non pas que les enfants d'une même famille ne peuvent pas bien s'entendre; mais lorsque les liens affectifs prennent trop d'importance, c'est l'indice que les parents ne prennent pas leur place, ce qui oblige les enfants à chercher d'autres voies, de la même façon qu'ils le font parfois avec des amis.

Parmi les dérapages que l'on observe, il est celui de l'enfant qui prend en charge son frère ou sa sœur plus jeune pour faire plaisir à ses parents, alors qu'il ne dispose pas des ressources émotionnelles pour le faire. Il se montre prévenant envers l'enfant plus jeune, se plie à ses caprices, le surveille, le reprend, bref, a tout d'un bon parent. À une exception près. Il s'exécute, lui, à contrecœur. Faire taire ses besoins d'enfant pour assumer des responsabilités trop lourdes à porter crée en lui un profond sentiment d'insatisfaction contenue, qui agit en sourdine. Quant à l'enfant plus jeune, il voit son aîné comme un pourvoyeur affectif privilégié, sans réaliser qu'il s'abandonne à quelqu'un qui nourrit un ressentiment latent à son égard, ce dont il fera les frais d'une façon ou d'une autre. Ce type de relation que l'on observe encore régulièrement était monnaie courante à l'époque des familles nombreuses, quand les parents demandaient à leurs filles aînées d'élever les plus jeunes, faisant d'elles des éducatrices spécialisées avant l'heure.

Or, les enfants ont besoin de sentir que ce sont les parents qui ont les rênes de la maison. Ils doivent être le moins possible placés en position de responsabilité les uns par rapport aux autres. Ils ne sont pas non plus censés régler leurs conflits eux-mêmes, mais plutôt trouver les moyens de vivre ensemble sans être en conflit. Cela signifie qu'au lieu de les laisser se quereller entre eux jusqu'à ce qu'ils trouvent un terrain d'entente, les parents doivent les séparer et ne leur permettre de se retrouver que dans la mesure où ils auront fait l'effort de développer un terrain d'entente.

En tant que parents, nous ne devons par ailleurs pas craindre de prendre position pour l'un ou pour l'autre des enfants lorsque la situation le justifie, au lieu de pénaliser tout le monde de peur d'être accusé de partialité. Lorsque nous agissons sans tenir compte des responsabilités respectives, nous augmentons le ressentiment chez l'enfant injustement puni et réduisons l'impact de la punition sur celui qui la méritait. C'est d'ailleurs un constat vérifié que l'enfant qui accepte le mieux les sanctions communes est celui qui est le plus en faute.

Pour faire en sorte que frères et sœurs entretiennent des rapports sains, il nous faut encadrer leurs échanges en leur demandant non pas de s'aimer, mais de se respecter mutuellement. Nous ne devons tolérer ni violence physique ni violence verbale et donner les règles de vie commune suivantes à nos enfants : on ne se fait pas justice soi-même, on ne se dénigre pas, on ne s'insulte pas, on ne se ridiculise pas ; au mieux, on profite de la situation privilégiée dans laquelle on se trouve pour partager les mêmes jeux ; au pire, on mène des existences parallèles, en reconnaissant l'appartenance commune qui nous rend un peu partie prenante des succès et des échecs de l'autre.

Plus nous encadrons fermement les relations entre frères et sœurs, avec un souci de justice et d'équité, plus nous créons un climat permettant de vivre des expériences saines, pavant la voie à l'établissement de liens d'affection durables.

72 Un parent doit-il s'abstenir de remettre en question l'autorité de l'autre parent en présence des enfants?

Nous devons demeurer solidaire de l'autre parent aussi longtemps qu'il en est un. Il est bien sûr important que chacun des parents respecte l'autorité de l'autre pour ne pas l'invalider dans le rapport qu'il a avec son enfant. Mais il faut que cette autorité soit exercée par quelqu'un capable de l'incarner.

Idéalement, les parents qui divergent d'opinion cherchent non pas à prouver qu'ils ont raison, mais plutôt à déterminer ensemble ce qui est le mieux pour l'enfant, quitte à remettre en question leur propre point de vue si cela est nécessaire. Des parents confiants dans leur position d'autorité peuvent le faire devant leurs enfants sans craindre d'être déstabilisés. D'autres, qui se sentent plus facilement menacés, peuvent éprouver le besoin de le faire en privé. L'important est que chaque parent reconnaisse en l'autre quelqu'un qui est aussi concerné que lui par le bien-être de son enfant et tout autant prêt à faire l'effort de mise en perspective qui leur permettra d'agir avec discernement.

À partir du moment où un parent n'est plus prêt ou n'est plus apte à remplir sa fonction d'autorité, il rompt l'alliance qui donne un sens à l'unité parentale. Le mieux est alors que l'autre parent assume sans partage la fonction d'autorité. De ce fait, il remet en question la compétence du parent défaillant comme parent, mais sans pour autant le remettre en question comme personne.

Pour bien se développer, l'enfant a un besoin capital de trouver auprès de lui la perspective qui lui manque, et ce besoin a préséance sur les susceptibilités de chacun, et même sur le maintien de l'idéal familial. Le père qui voit sa fille manquer de respect à sa mère sans que celle-ci réagisse ne peut s'abstenir d'intervenir. Pas plus que la mère qui, au retour d'une course, intercepte son garçon qui allait se défiler avant d'avoir fait ses devoirs sans que le père ait fait objection. Qui plus est, un parent est tout aussi justifié de s'interposer pour limiter l'autoritarisme abusif de l'autre parent qui interdit et sanctionne de manière irréfléchie que d'intervenir pour compenser son laxisme.

Choisir d'affirmer son autorité en renonçant à la solidarité parentale peut générer des oppositions pouvant paver la voie à une éventuelle séparation et, le cas échéant, à la remise en question de l'aptitude de l'autre parent à assumer la responsabilité de l'enfant. Mais c'est loin d'être la règle. Dans de nombreux cas, le parent éprouvant de la difficulté à remplir sa fonction adéquatement aura tendance à se placer sous la responsabilité de son partenaire, faisant dire à celui-ci qu'il a par moments l'impression d'avoir un enfant de plus dans la maison...

Un parent confronté à cette situation trouvera avantage à cesser de demander à l'autre parent d'être ce qu'il n'est pas. Cela lui épargnera un stress éprouvant et stérile. Par ailleurs, il peut toujours solliciter la collaboration de l'autre parent lorsqu'elle est indiquée, comme cela se fait avec toute personne qui garde ponctuellement des enfants, et ce, sans se formaliser de la situation devant les enfants et en mettant en relief les qualités de l'autre parent comme individu plutôt que ses lacunes en tant que parent.

Lorsqu'un parent agit de la sorte, les enfants se tournent naturellement vers lui, car il leur sert de repère dans leur fonctionnement, mais ils conservent aussi, parallèlement, une image positive de l'autre parent, avec lequel il leur est toujours possible d'établir une complicité satisfaisante. Il arrive alors que le parent moins autoritaire, se sentant moins harcelé et en même temps insatisfait d'être relégué à un rôle de soutien, se montre plus ouvert, voire s'implique activement dans les décisions qui concernent ses enfants et se mette à exercer spontanément son autorité.

73 Comment préparer un enfant à vivre une séparation[17] ?

On pourrait penser que la meilleure façon de préparer un enfant à vivre une expérience éprouvante comme une séparation est de discuter avec lui de la nature et des implications de cette expérience en estimant que cela l'aidera à apprivoiser la réalité difficile et à diminuer ses appréhensions. Étonnamment, c'est une démarche discutable à certains égards.

D'abord, une épreuve ne se prépare pas, mais *se vit*. On aura beau dire à l'enfant que la séparation va se faire dans le respect de ses besoins et s'appliquer à le lui montrer en recourant à toutes sortes d'exemples, c'est l'expérience, en situation, qui lui donnera l'heure juste sur ce qu'il y a d'éprouvant ou non dans ce qu'il traverse.

Il faut aussi avoir à l'esprit que ce que nous appréhendons est souvent pire que ce que nous vivons. Nous sommes alors aux prises avec une anxiété impossible à aménager parce que le danger qui en est la cause est à venir. Les enfants ont la faculté de se perdre dans le moment présent. Ils peuvent aussi facilement oublier le malheur qu'ils ont vécu au cours de l'heure passée que celui qui s'annonce dans la prochaine. Cette faible capacité de se projeter dans le passé et dans l'avenir les préserve intérieurement de tourments inutiles. Pour cette raison, plus nous parlons avec eux de la situation problématique, peu importe en quels termes, plus nous réactualisons la réalité appréhendée et l'anxiété qu'elle génère.

Enfin, ce n'est pas ce que l'enfant entend de l'avenir qui le rassure sur ce qui l'attend, c'est ce qu'il a retenu du passé. Plus un enfant a

---

17. Ce qui suit s'applique, dans l'esprit, à toutes les épreuves auxquelles un enfant est susceptible d'être confronté : le décès d'un proche, la naissance d'un frère ou d'une sœur, etc.

été traité avec considération par des parents concernés qui ne lui ont jamais fait défection, plus il va s'en remettre à eux, habité par l'intime conviction que rien de grave ne peut arriver, que l'essentiel sera toujours préservé. À l'opposé, l'enfant soumis à un investissement relatif de la part de parents plus ou moins à l'écoute de ses besoins, et sujets à accorder la priorité à leurs intérêts personnels, sera envahi par une insécurité qu'aucune garantie ne pourra tempérer.

La perspective d'une expérience éprouvante ne commande pas nécessairement la mise en œuvre d'une démarche préparatoire élaborée. Il convient d'informer l'enfant de l'existence du problème, pour l'éveiller à ce avec quoi il devra composer, et de le rassurer simultanément sur l'essentiel. Par exemple, dans le cas d'une séparation éventuelle, nous pouvons lui dire: «Ça ne va pas bien entre papa et moi, il va peut-être falloir s'organiser autrement», et ajouter: «peu importe ce qui arrivera, nous continuerons à nous occuper de toi.»

L'enfant n'a rien à entendre de plus. Il accusera le coup puis, devant l'absence de danger immédiat, se laissera reprendre par ses préoccupations actuelles, tout en étant au fait, quelque part en lui, que l'avenir n'est pas sans nuages. Il est possible de répondre à certaines questions factuelles, mais en demeurant le plus évasif possible afin de ne pas donner de consistance à ce qui n'existe pas encore. Nous sommes d'autant plus justifié de le faire que ce qui est à venir conserve toujours un caractère hypothétique.

Il faut garder à l'esprit que l'enfant le plus harcelant est celui qui ne se sent pas en sécurité parce que ses bases affectives n'ont pas été suffisamment bien établies; pour cette raison, les tentatives visant à juguler son anxiété restent vaines. Dans son cas, il vaut mieux consacrer son énergie à raffermir les liens actuels par la qualité des expériences quotidiennes. L'enfant, se sentant moins menacé, laissera davantage les rênes à ses parents et se contentera de souhaiter en secret que le ciel s'éclaircisse et que les difficultés s'estompent.

Lorsque l'enfant est placé devant le fait que ce qui était évoqué devient une réalité, le mieux est qu'il y soit confronté le plus rapidement possible. Il va certainement chanceler pendant un court moment. Mais dès qu'il constatera que l'essentiel est effectivement préservé, qu'il se trouve en permanence, où qu'il soit, sous le regard de quelqu'un qui l'entoure et qui l'aime, il s'adaptera aux exigences de la réalité et surtout, il recommencera vite à faire ce qu'il fait le mieux : vivre intensément le moment présent.

Au sein d'une famille reconstituée, 74 quelle place revient au nouveau conjoint dans l'éducation des enfants?

Être parent, dans la vie quotidienne, consiste pour l'essentiel à exercer une autorité et à exprimer de l'affection. S'interroger sur la place que l'on peut occuper comme parent revient donc à se demander dans quelle mesure on a la légitimité pour faire l'un et l'autre.

De fait, les appréhensions des conjoints devant s'intégrer dans une nouvelle famille concernent invariablement les rapports d'autorité et les rapports d'affection. Se fera-t-on servir le «Tu n'es pas mon père» dès que l'on se hasardera à formuler une exigence? Ce qui est toujours très déstabilisant. Se fera-t-on accuser de vouloir usurper la place de la mère si l'on risque un geste affectueux? Où se situe la démarcation entre ce qui est approprié et ce qui est déplacé? La façon la plus simple de s'y retrouver est d'avoir recours à une analogie faisant abstraction du chaos émotionnel qui entoure les séparations.

Lorsque nous confions nos enfants à un professeur, ou à une gardienne, nous déléguons en même temps à celui-ci une partie de notre autorité pour lui permettre d'assumer adéquatement sa responsabilité. Nous ne demandons pas à nos enfants d'aimer la personne, mais nous ne le leur interdisons pas non plus. Nous leur demandons de respecter son autorité dans le registre circonscrit du mandat particulier qui est le sien. Et nous laissons la relation se développer naturellement, au gré de la disponibilité et des affinités de chacun. L'intégration d'un nouveau conjoint devrait se faire sur les mêmes bases.

Il est certainement préférable de prendre le temps d'apprivoiser la situation pour donner aux personnes l'occasion de se familiariser les unes avec les autres avant de vivre ensemble. Mais à partir du moment où nous faisons le choix de nous établir sous le même toit, le statut d'autorité du nouveau conjoint devrait être formellement reconnu et immédiatement effectif. Il ne s'agit pas de dire aux enfants: «Voici, cette personne a le droit de vie et de mort sur vous», mais plutôt: «Deux adultes partagent la responsabilité de la gestion au quotidien de notre maison. Vous devez respecter leur autorité lorsque vous vous retrouvez sous la supervision des deux ou de l'un d'eux.»

On aura noté que le mandat du parent auxiliaire est circonscrit, comme l'était celui du professeur ou de la gardienne. Ce parent ne prend pas en charge le *développement* des enfants mais uniquement leur *fonctionnement,* dans le registre limité de ce qui relève de son autorité. Le nouveau conjoint n'a pas à se pencher sur les états d'âme des enfants ni à orienter leurs choix de vie: c'est au parent d'y voir. Sa responsabilité est de contribuer à maintenir un cadre propice à une évolution saine des enfants. Il n'a pas non plus à se sentir partie prenante de la direction de cette évolution. Il aura à exiger et à sanctionner, en cours de route et au quotidien, pour tout ce qui concerne le bon fonctionnement de la maison, et il sera justifié de le faire indépendamment des liens d'affection qu'il aura développés.

C'est une erreur de croire qu'il faut attendre d'avoir noué certains liens d'attachement avec les enfants pour pouvoir se permettre de les encadrer. L'analogie de départ illustre bien que nous ne nous inscrivons pas *a priori* dans une démarche d'amour mutuel, mais plutôt de respect de l'autorité nécessaire à la viabilité de l'ordre familial. En dépit des apparences, la personne appelée à jouer le rôle de parent auxiliaire n'est pas plus justifiée de se tenir en marge des rapports d'autorité, en attendant que les enfants avec lesquels elle habite l'acceptent, qu'un professeur ne le serait de s'abstenir de faire la discipline dans sa classe sous le prétexte qu'il n'a pas encore gagné l'affection de ses élèves – pour autant, évidemment, que les limites à l'intérieur desquelles peut s'exercer cette autorité soient clairement établies.

Maintenir trop longtemps l'ambiguïté quant au statut du conjoint peut conduire au résultat contraire de celui qui est visé. On diffère le moment d'intervenir auprès des enfants pour se donner le temps d'établir un lien de qualité avec eux; mais en s'abstenant d'intervenir, on les laisse se livrer à des écarts de comportement qui rendent impossible le cheminement vers une certaine proximité affective. Instaurer d'entrée de jeu, avec le soutien du parent, un rapport d'autorité qui tient compte des besoins des enfants, sans forcer leur intimité, est davantage susceptible de favoriser l'émergence d'un échange affectif positif.

Il reste à se demander jusqu'où l'on peut laisser se développer les liens d'affection sans porter préjudice au parent dont on occupe la place. La réponse est simple: on ne peut occuper la place de quelqu'un d'autre que si elle est vacante. L'enfant qui a établi une véritable relation d'intimité avec son père ou sa mère n'éprouvera pas le besoin de vivre quelque chose de comparable avec celui ou celle qui en tient lieu et ne sera pas ouvert à cela. Plus l'enfant est porté à s'attacher au parent auxiliaire, moins il a trouvé à s'attacher au parent d'origine. Il n'y a donc pas lieu de se formaliser lorsqu'un tel lien se développe. Le mieux consiste à accueillir l'affection de l'enfant sereinement, tout en prenant soin de respecter les prérogatives des parents légitimes.

Le niveau d'engagement peut varier selon l'âge des enfants tout comme varient les ententes de garde des parents, mais un fait demeure: pour que la reconstitution d'une famille soit viable, celui, ou celle, qui fait le choix d'aller vivre avec une personne qui a des enfants doit être conscient que, ce faisant, il fait aussi le choix d'être parent.

75 Que dois-je répondre à mon enfant qui, à chaque retour de chez son père, me reproche d'être plus sévère que lui?

Il va de soi que l'idéal, dans le cas d'une séparation, est que les parents continuent à se concerter de manière à maintenir des positions convergentes afin de donner à l'enfant une impression de continuité dans l'articulation entre son expérience et le regard que ses parents posent sur elle. Même en l'absence de concertation formelle, la capacité des parents de mettre les choses en perspective devrait les amener à avoir sensiblement les mêmes exigences, à fixer les mêmes limites, à réprouver les mêmes attitudes et à sanctionner les mêmes écarts. Mais ce n'est pas toujours le cas.

La situation qui pose le plus souvent problème est celle où l'un des parents, habituellement la mère, assume l'essentiel de l'éducation pendant que l'autre, habituellement le père, reçoit son enfant une fin de semaine, c'est-à-dire un week-end, sur deux. Le parent qui voit son enfant deux jours par quinzaine n'est pas confronté aux contraintes du quotidien et souhaite, par ailleurs, tirer le meilleur parti du temps passé avec son enfant, deux conditions qui incitent naturellement à se montrer permissif et conciliant.

Si ce genre de glissement n'est pas souhaitable, il est compréhensible et devrait être considéré avec une relative indulgence. Il est certain que le parent qui cède à la tentation de se montrer complaisant nuit au travail éducatif de l'autre parent. Il doit en être conscient et freiner son empressement à plaire à son enfant. Mais le parent injustement pris à partie par son enfant au retour de visites devrait, de son côté, tenir compte de la situation privilégiée qui est la sienne : il est le véritable interlocuteur relationnel de l'enfant ; c'est pour cette raison qu'il lui appartient de tempérer les mouvements d'humeur de ce dernier. Et au lieu de se laisser ébranler par ses reproches, il devrait réagir en lui faisant voir en quoi les contextes sont différents et en lui indiquant clairement qu'il ne le laissera pas jouer au jeu des comparaisons dans l'espoir d'en tirer profit. Une fois remis à sa place, l'enfant fera plus aisément la part des choses et acceptera les limites inhérentes à chacune des situations.

Le problème se pose généralement avec moins d'acuité dans le cas d'une garde partagée parce que les deux parents sont exposés aux mêmes nécessités. Mais il arrive quand même régulièrement que l'enfant fasse l'expérience d'un certain décalage entre les exigences des deux parents, l'un des deux lui laissant une plus grande latitude, et y réagisse en cherchant à infléchir la position du parent le plus sévère. Plutôt que de s'en tenir à des arguments d'autorité du type «Ici, c'est comme ça que ça fonctionne», il vaut mieux prendre le parti d'expliquer systématiquement à l'enfant chacune des décisions qui le concerne. Il ne s'agit plus alors d'évaluer en parallèle deux points de vue qui se valent, mais de mettre l'enfant face à la réalité de manière à maintenir intacte l'alliance avec la partie de lui-même qui est apte à reconnaître ce qui est préférable pour lui.

Que ce soit par rapport au moment du coucher, à l'heure de rentrer, à la façon de manger, à la manière d'étudier, au ton employé, aux remarques faites, il est important que l'enfant soit placé devant le constat que les différences d'attitude des parents ne tiennent pas à leurs niveaux de tolérance respectifs, mais à l'aptitude de chacun à agir avec discernement. Si tel est le cas, les récriminations de l'enfant conserveront un caractère superficiel et n'altéreront pas le lien qui l'unit à celui de ses parents qui le confronte le plus, pour autant évidemment que celui-ci soit justifié de le faire – ce sera plutôt le contraire.

Être parent ne consiste pas en un concours de popularité. Tant que la sévérité d'un parent est guidée par son souci de faire de son enfant la meilleure personne possible, il n'a pas à se formaliser des reproches dont il est l'objet. Ils feront éventuellement place à des expressions de gratitude. En attendant, il doit puiser dans son estime de soi, qu'alimente la fierté d'agir dans le meilleur intérêt de son enfant, afin de compenser pour le peu de retour que lui rapporte sa constance.

Faut-il faire en sorte qu'un enfant connaisse son père biologique? 76

Il n'est pas rare qu'une grossesse soit le prélude à une rupture. Lorsqu'un couple n'a pas d'assises solides, l'ampleur des bouleversements associés à l'arrivée d'un enfant a tôt fait de mettre en évidence la fragilité du lien sur la base duquel il a été conçu. Or, les séparations hâtives favorisent le désengagement du père du fait qu'aucun rapport d'attachement n'a encore pu être établi entre lui et l'enfant. Après l'accouchement, le réflexe de nombre de mères consiste à faire pression sur leur ex-conjoint pour qu'il s'implique auprès de l'enfant sous le prétexte qu'«après tout, il est son père». La démarche n'est pas toujours heureuse. Un espace vide dans le cœur d'un enfant est moins dommageable qu'un espace mal rempli. L'enfant a besoin d'être aimé. Mais il n'est pas nécessaire que ce soit par quelqu'un en particulier. L'absence du père biologique laisse un vide à combler. L'important est qu'il le soit. Si c'est le cas et que l'enfant reçoit tout l'amour dont il a besoin, il n'en gardera pas de séquelles.

Introduire dans l'univers affectif d'un enfant un père qui est mal disposé à son endroit et peu disponible affectivement peut s'avérer néfaste pour lui. On l'expose à vivre une succession de rejets qui le marqueront sur le plan affectif en entamant son estime de soi. Certaines mères sont sensibles à ce danger et seraient plutôt enclines à laisser le père biologique à distance, mais elles persistent à le relancer parce que leur enfant le leur demande. Elles cèdent à ce qu'elles considèrent être l'expression d'un souhait légitime. Ce n'est pas ainsi qu'il faut voir les choses. Lorsqu'un enfant réclame de rencontrer un père qu'il ne connaît à peu près pas, il ne faut pas en conclure que son père lui manque, mais plutôt qu'il éprouve un manque qu'il espère voir comblé par ce père. Pour que l'absence d'une personne soit ressentie comme éprouvante, il faut avoir préalablement développé un attachement envers elle, ce qui n'est pas le cas. L'enfant revendique de rencontrer son père parce qu'il est insatisfait de ce qu'il reçoit et qu'il en veut davantage. Il voit l'entrée en scène de ce parent additionnel comme une possibilité en ce sens, et cherche à en profiter.

Les émissions télévisées consacrées aux retrouvailles entre membres d'une même famille permettent d'observer un phénomène analogue. Ce que vit la personne qui s'effondre en larmes au moment où apparaît le visage étranger du parent qu'elle n'a jamais connu ne concerne pas ce parent. Elle pleure la place vide qui existe dans sa vie. Elle laisse s'exprimer la souffrance qu'elle a contenue si longtemps, dans l'espoir, souvent illusoire, de recevoir enfin ce qu'elle n'a jamais eu. De la même manière, lorsqu'un enfant se dit malheureux parce qu'il ne peut pas voir un père qu'il connaît à peine, il essaie de donner du sens à son mal de vivre. Il n'est pas malheureux parce que son père lui manque, son père lui manque parce qu'il est malheureux.

L'attitude à privilégier face à un père qui a fait défection est de se montrer ouvert s'il manifeste son intérêt pour son enfant, mais sans chercher à l'y inciter. Plus l'éveil du père est tardif, moins il devrait recevoir un bon accueil de la part de l'enfant, celui-ci le ressentant comme intrusif. Dans le cas contraire, si l'enfant accueille à bras ouverts ce père qu'il ne connaît pas, ceux qui lui ont tenu lieu de parents devraient s'interroger sur la qualité de la relation qu'eux-mêmes ont avec lui, notamment sur la valeur de l'intimité affective qui la fonde.

Quelle place revient aux grands-parents dans l'éducation des enfants ?

Les grands-parents n'ont pas de rôle actif à jouer dans l'éducation des enfants... à titre de grands-parents. Ils peuvent bien sûr être mis à contribution pour s'occuper des enfants en l'absence des parents, et s'acquitter de leur tâche avec une sensibilité et un dynamisme que leur envieraient bien des spécialistes en éducation. Mais ils se situent alors dans un contexte de garde ponctuelle. Ils agissent en tant que parents auxiliaires. Ils occupent une fonction qui détermine leurs attitudes, comme c'est le cas en milieu éducatif. Quelle que soit la qualité de leur présence auprès des enfants, celle-ci n'est pas à ce moment-là spécifiquement «grand-parentale».

Être un grand-parent, c'est d'abord être un témoin privilégié du devenir de ses petits-enfants. Les grands-parents ont la particularité d'être partie prenante de la valeur de leurs petits-enfants sans avoir à déterminer cette valeur. Ils peuvent légitimement les considérer comme une partie d'eux-mêmes sans avoir à porter le poids de la responsabilité qui accompagne normalement ce privilège. Leur apport consiste à reconnaître la qualité de l'enfant qu'ils ont sous les yeux par leurs manifestations de tendresse. Leur regard sur l'enfant est d'autant plus satisfaisant pour celui-ci qu'il est dépouillé de tous les bémols désagréables auxquels l'expose un regard critique comme celui des parents.

Le caractère inconditionnel de l'affection témoignée par les grands-parents à leurs petits-enfants en signe aussi la limite. S'ils peuvent les aimer sans réserve, c'est parce qu'ils demeurent en périphérie de leur univers personnel. Bien que concernés par ce qui leur arrive, ils demeurent extérieurs à eux. Ils ne font pas partie de leur intimité. Et généralement, ils n'en souffrent pas. Pourquoi ? Parce qu'un grand-parent est d'abord et avant tout le parent de son enfant. C'est avec lui qu'il a établi l'alliance la plus fondamentale de sa vie, c'est lui qui demeure au centre de ses préoccupations tout au long de son existence, et c'est lui qui donne son sens au lien intergénérationnel : «C'est parce que je suis le fils de ma mère qu'elle compte pour mes enfants. C'est parce que je suis leur père qu'ils comptent pour elle.»

Dans ce contexte, on s'attend à ce que le parent fasse le pont entre ses enfants et ses propres parents, à ce que tout ce qui se vit entre les deux générations transite par lui. C'est à ce point vrai, que nous pouvons considérer l'incapacité du parent à se maintenir à cette position charnière comme une indication objective du fait qu'il se trouve en difficulté, à la fois comme enfant et comme parent. Pour qu'un grand-parent cherche à établir une proximité affective avec son petit-enfant en marge du parent, il faut que ce dernier compte peu à ses yeux, ce dont il ne peut manquer de souffrir en tant qu'enfant. Et pour que le petit-enfant réponde positivement à cette sollicitation, il faut que son parent occupe une place relative dans sa vie, c'est-à-dire qu'il soit défaillant en tant que parent.

Devant un grand-parent intrusif qui se mêle des décisions concernant l'enfant, prend parti pour lui, l'incite à lui confier ses secrets, le couvre d'attentions et de cadeaux au gré de sa fantaisie, le parent se retrouve souvent démuni. Il se rend compte que quelque chose ne va pas, que cette ingérence nuit à son travail éducatif. Mais il n'ose pas s'interposer. Ce peut être parce qu'il n'est pas à l'aise à l'idée d'aller à l'encontre du courant social qui idéalise les rapprochements intergénérationnels. Il suffit de penser aux publicités évoquant la complicité touchante qui existe entre les jeunes enfants et les personnes âgées. Il se peut aussi qu'il n'ait pas la capacité émotionnelle de faire face, comme c'est le cas dans l'exemple qui suit.

Une mère demande de l'aide pour y voir plus clair dans la relation qu'elle a avec sa fille de six ans qui a tendance à se montrer agressive, voire méprisante avec elle, en dépit de ses efforts répétés pour rendre leurs rapports plus harmonieux. La mère décrit la fillette comme une princesse perpétuellement insatisfaite, qui se comporte comme si tout lui était dû et la traite comme une servante. Ne parvenant pas à prendre la situation en main, elle a décidé d'entreprendre une démarche de remise en question personnelle. C'est l'occasion pour elle de se rendre compte qu'elle passe sa vie à vivre dans la peur de s'attirer la réprobation des gens qu'elle côtoie, et que cette peur trouve son origine dans l'attitude de rejet que sa mère a toujours eue avec elle. Or, cette mère, qui est à présent une grand-mère, passe tous ses temps libres avec sa petite-fille envers laquelle elle a des égards qu'elle n'a jamais eus pour sa propre fille. Elle reproche par ailleurs constamment à cette dernière d'être trop sévère et a tendance à excuser les écarts de conduite de la fillette. Ce n'est qu'au terme d'un long cheminement que cette femme a été en mesure de s'affranchir de l'influence de sa mère et de reprendre sa place entre sa fille et elle. Soustraire sa fille à l'influence de sa mère lui a permis d'assainir la relation qu'elle-même entretient avec son enfant et de rétablir un fonctionnement plus épanoui, exempt des fantaisies de grandeur qui en faussaient le cours.

Il faut toujours se méfier quand un grand-parent cherche à jouer un rôle actif dans l'éducation de son petit-enfant parce que, sauf exception, il est alors guidé par ses propres besoins et non par ceux de l'enfant. La grand-mère qui implore la clémence du parent à la suite d'un écart de comportement de son petit-fils se préoccupe peu des conséquences que cette entorse à la discipline aura à long terme sur l'enfant; elle s'intéresse plutôt à la conséquence à court terme que son intervention aura sur la relation qu'elle entretient avec lui. De la même façon, le grand-père qui exhorte le parent à laisser veiller sa petite-fille ne se soucie pas des conséquences de cette dérogation sur la performance scolaire du lendemain mais cherche uniquement à prolonger le plaisir du moment...

Un grand-parent n'a rien de plus à faire qu'à s'émerveiller devant la vitalité de la jeunesse et à laisser s'exprimer son trop-plein de tendresse. Sa véritable contribution au bon développement de son petit-enfant, il l'a apportée en donnant à ce dernier un parent capable de prendre en main sa destinée.

Avoir un animal de compagnie est-il important pour l'enfant ? 78

Presque tous les enfants souhaitent un jour ou l'autre profiter d'un animal familier. Les choses se passent habituellement toujours de la même façon : l'enfant éprouve soudain un besoin urgent de posséder un animal ; à cette fin, il harcèle ses parents en leur assurant qu'il en prendra soin et qu'ils n'auront pas à s'en occuper ; les parents finissent par céder en se disant que ce sera une expérience formatrice pour lui. Pourtant, si l'enfant est enthousiaste au départ, une fois la nouveauté passée, il néglige ses responsabilités et délaisse l'animal qui devient une charge supplémentaire pour les parents.

Ce scénario est le plus fréquent parce qu'il est le plus normal. Il est normal que l'enfant s'emballe à l'idée de vivre une relation privilégiée avec un être qui est tout à lui. Il est normal qu'il déchante rapidement devant le caractère sommaire et répétitif des échanges auxquels il a accès. Et il est normal qu'il manque à ses responsabilités parce qu'il n'est pas un être responsable. C'est une fantaisie de croire que l'on peut rendre un enfant responsable en se contentant de le mettre en situation de responsabilité. On peut au mieux se servir des occasions de responsabilisation pour travailler à faire de lui un être responsable.

L'enfant entretient l'illusion que la possession d'un animal lui permettra de vivre quelque chose d'unique, un peu à la manière de ce qu'éprouve un parent vis-à-vis de son enfant. Or ce n'est pas le cas, car il manque à l'animal un élément essentiel pour être un véritable partenaire relationnel : la capacité de représentation. L'enfant a, plus que de toute autre chose, besoin de se voir exister dans les yeux des autres afin d'éprouver sa consistance intérieure, de sentir qu'il est quelqu'un. L'ensemble de son activité est orientée en ce sens. Or, aucun animal, aussi évolué soit-il, n'est capable de répondre à cette attente. Un animal n'a rien de plus à offrir que sa présence. Il peut tout au plus servir de compagnon de jeu occasionnel ou d'exutoire à certains débordements affectifs. Au fil du temps, ce constat conduit la majorité des enfants à accorder une importance plus relative à leur animal de compagnie, sans pour autant qu'ils s'en détachent complètement.

Cette réorganisation affective est à ce point normale que c'est son absence qui devrait être considérée comme préoccupante. L'enfant qui surinvestit un animal cherche le plus souvent à compenser certaines carences relationnelles. Or, si le lien établi avec l'animal peut avoir pour effet bénéfique de rendre la réalité présente plus tolérable, il ne peut permettre à l'enfant d'évoluer vers une meilleure condition intérieure. Il ne faut donc pas perdre de vue que si belle soit la complicité entre un enfant et son animal, elle est l'expression d'un manque à propos duquel il convient de s'interroger.

Il reste qu'avoir un animal dans une maison peut constituer une expérience positive à bien des égards. À la condition toutefois que la décision de s'en procurer un ne tienne pas aux promesses de l'enfant. Le mieux est que le parent qui accepte de laisser un animal entrer dans la maison assume la responsabilité de son choix plutôt que d'en faire porter le poids à son enfant. Cela ne veut pas dire que le parent doive seul s'engager à s'occuper de l'animal, mais plutôt qu'il veille à ce que ceux qui ont proposé de partager cette responsabilité le fassent. Le parent peut ainsi exiger de l'enfant qu'il s'acquitte de ses obligations dans le registre limité qu'il lui a délégué, en le sanctionnant au besoin comme il le fait, par exemple, pour les devoirs et les leçons. Une telle attitude est bien préférable au sempiternel et stérile «Occupe-toi de cet animal ou on s'en débarrasse!» réitéré au fil des jours.

Dans quelle mesure ai-je le droit de m'immiscer dans la relation entre mon enfant et ses amis ?

De l'amitié, il faut savoir en premier lieu qu'elle n'existe pas avant l'adolescence. Durant l'enfance, les rapprochements sont principalement fonctionnels. Ils sont basés sur une convergence d'affinités sur le plan des intérêts, des goûts, ou des tempéraments, qui permet de vivre des expériences intéressantes. L'enfant est davantage concerné par ce que l'autre *fait* que par ce qu'il *est*. Ce n'est qu'à l'adolescence qu'il commence à établir des liens véritablement significatifs, fondés sur un attachement pour des personnes qui ne sont plus interchangeables. Cela explique la facilité avec laquelle les enfants s'adaptent aux changements d'environnement, lors d'un déménagement par exemple, facilité que leur envient parfois leurs parents.

Les «amis» auxquels se réfèrent avec insistance les éducateurs, dans le cadre de leurs activités dirigées, sont en fait des compagnons de jeu avec lesquels l'enfant noue des liens qui demeurent habituellement superficiels — ce qui ne les empêche pas d'être des partenaires relationnels redoutables capables d'exercer une influence dévastatrice sur la condition émotionnelle de leurs pairs. D'où la nécessité que les parents restent vigilants et prêts à intervenir si les rapports prennent une allure malsaine.

Une amitié devient problématique quand les enfants débordent du cadre qui lui donne son sens et y introduisent des enjeux émotionnels liés à des besoins personnels ou à des carences. Dans ce cas, l'autre n'est plus d'abord un partenaire de jeu, mais un interlocuteur sur le plan relationnel, une personne jouant un rôle déterminant dans la vie affective de l'enfant. Quand l'amitié prend cette orientation, ce sont les enfants fragiles, ceux qui ont besoin d'être entourés, considérés, aimés, qui en subissent le plus durement les contrecoups : c'est la petite fille qui achète des friandises à ses camarades pour être acceptée par elles, ou celle qui se place en position de dépendance au point de ne plus rien faire sans avoir l'assentiment de son amie ; c'est le garçon qui est prêt à se conduire illégalement pour impressionner ses amis, ou celui qui préfère se laisser ridiculiser plutôt que de se retrouver seul. Tous ont en commun d'être aux prises avec des difficultés personnelles qui teintent leurs amitiés d'une coloration affective préjudiciable. Tous renoncent à leur intégrité pour être quelqu'un aux yeux de personnes qui n'ont pas le niveau de développement nécessaire pour répondre à leurs besoins et risquent de tirer profit de leur vulnérabilité. Dans ce cas, le parent doit intervenir.

Les parents n'ont pas à avoir peur de s'immiscer dans les relations entre leur enfant et ses amis, parce que celles-ci ne présentent pas *a priori* un caractère d'intimité. Quand c'est le cas, c'est que la relation est problématique. Ils se trouvent alors d'autant plus justifiés de s'en mêler, surtout si leur enfant leur paraît à l'évidence en difficulté. Le mieux à faire pour un parent qui constate que son enfant vit mal ses amitiés est, dans un premier temps, de le mettre face à la réalité de sa condition en lui offrant la perspective nécessaire pour qu'il puisse voir en quoi elle est malsaine : « Quand nous payons les autres pour être aimé, nous leur concédons que nous n'avons aucune valeur et nous ne récoltons que du mépris », « Lorsque nous donnons aux autres le pouvoir de nous dire ce que nous devons être, nous risquons de ne plus savoir qui nous sommes vraiment », « Ceux qui t'incitent à te conduire illégalement ne se soucient aucunement des torts que tu peux te faire », « Ce que tu supportes quand tu laisses ton ami te manquer de respect est pire que ce que tu endurerais si tu étais seul ».

En agissant de la sorte, c'est-à-dire en modifiant la perspective, le parent doit avoir pour objectif d'amener graduellement son enfant à changer d'attitude et à inciter ses amis à s'ajuster en conséquence, de manière que le lien amical puisse devenir viable. Si tel n'est pas le cas, le parent est justifié de mettre un terme à la relation. Son message devrait alors être en substance: «Je ne veux plus te voir jouer avec cet enfant, parce que tu te fais du tort. Si tu persistes à le fréquenter, tu seras puni parce que je ne te laisserai pas te faire du tort.»

Il est déconseillé de tenter d'intervenir directement auprès de l'ami ou de ses parents. Ceux qui l'ont fait ont eu l'occasion de se rendre compte que les mauvais amis ne le sont pas par hasard. C'est justement parce que ni eux ni leurs parents ne sont disposés à se remettre en question qu'ils continuent d'être ce qu'ils sont.

Par contre, comme les enfants attendent en général de leurs amis ce qu'ils ne trouvent pas à la maison, il est important que les parents se remettent en question et soient davantage présents au besoin fondamental de leur enfant: se sentir sous le regard permanent de quelqu'un qui le considère et le guide.

80 Ne devrait-on pas s'abstenir d'acheter des jouets qui perpétuent les stéréotypes sociaux?

En posant cette question, les parents ont généralement à l'esprit les armes de guerre que l'on offre aux garçons et les poupées Barbie qui vont aux filles. Il s'agit bien de stéréotypes sociaux qui existent et doivent être critiqués. Mais contrairement à ce que l'on pourrait penser, ces stéréotypes ne sont pas responsables de l'intérêt des garçons pour les jeux guerriers et de celui des filles pour les considérations esthétiques. Les anecdotes sont nombreuses de parents qui ont tout mis en œuvre pour éloigner leurs enfants de ce genre d'activités sans éroder, ne fût-ce qu'un peu, la fascination qu'elles exercent sur eux. Si on peut moduler la culture, on ne peut contourner la nature.

Garçons et filles ont droit à la même considération, peuvent revendiquer les mêmes privilèges, prétendre aux mêmes compétences, avoir les mêmes aspirations, les mêmes valeurs, les mêmes intérêts. Mais ils sont assujettis aux lois de l'espèce dont la survie repose sur une complémentarité biologique qui singularise chacun des sexes, non seulement sur le plan physique, mais aussi sur le plan psychologique. Pour favoriser la rencontre sexuelle, la nature a confié à la femme le mandat d'exercer une attraction sur l'homme, et à l'homme celui de se joindre à la femme en surmontant les obstacles qui se dressent devant lui. Elle les a dotés d'attributs physiques adaptés à leurs rôles respectifs et a déterminé l'émergence d'attitudes psychologiques correspondantes. D'où l'importance que les filles accordent à leur apparence et l'intérêt des garçons pour les activités comportant une émulation. Le besoin de plaire ne fait pas de la fille un être superficiel, pas plus que le besoin de conquérir ne fait du garçon une brute en devenir. Ce sont des mouvements de fond que la culture permet de relativiser, notamment par le biais de l'éducation qui aide à les aménager. De sorte que leur importance diminue au fil du temps, mais sans toutefois disparaître tout à fait. Le but du développement n'est pas de faire du garçon un homme et de la fille une femme. Il est de faire du garçon et de la fille des *personnes,* dont l'une des caractéristiques est d'être homme ou femme. L'éducation permet ce passage de l'état d'enfant animé par son instinct à celui d'adulte mû par sa conscience.

Pour que tout se passe bien, les parents doivent cependant éviter de verser dans les excès. Tout le monde sera d'accord avec l'idée qu'il ne faut pas réduire l'enfant à sa condition d'être sexué en perpétuant les stéréotypes sociaux valorisant les attitudes belliqueuses chez le garçon et l'exploitation des attributs physiques chez la fille. Mais il ne faut pas non plus tomber dans le travers opposé en faisant comme si les particularités héritées de l'espèce n'existaient pas. Reprocher à son enfant son intérêt pour les jeux guerriers ou les jeux de poupées, selon le cas, c'est le placer en contradiction avec lui-même et semer le germe de malaises intérieurs plus dommageables que ceux que l'on essaie de lui éviter.

L'attitude la plus saine consiste à reconnaître que ces types d'intérêts ont une place, sans pour autant leur donner toute la place, et de sensibiliser les enfants aux dérapages auxquels ils peuvent conduire. Il faut toutefois demeurer conscient du fait que ce ne sont pas les jouets eux-mêmes qui posent problème, mais l'état d'esprit dans lequel ils sont utilisés. Les épées et les figurines Ninja ne rendront pas un garçon violent s'il est aimé, pas plus que les trousses de maquillage et les poupées ne feront d'une fille un objet si elle est considérée.

81 Comment réagir à l'engouement collectif des enfants pour des personnages de séries télévisées et à l'exploitation commerciale qui en est faite?

Il est difficile pour les parents de se situer face à l'engouement soudain des enfants pour les héros qui leur sont proposés par les grandes maisons de production, et à l'exploitation commerciale qui y est associée. Confrontés aux sollicitations insistantes des enfants pour se procurer les figurines, accessoires, cartes, vêtements, etc., qui envahissent le marché, certains y accèdent sans réserve, les laissant s'engager à fond dans leur fantaisie, alors que d'autres s'y objectent farouchement, dénonçant le procédé mercantile qui consiste à tirer profit de la suggestibilité des enfants.

La réaction des parents qui refusent de jouer le jeu du mercantilisme se justifie aisément. Ce sont souvent des personnes qui, en tant qu'individus, refusent de céder au chantage affectif dont ils se sentent l'objet. Mais ce sont aussi des personnes qui, comme parents, ont à cœur le développement de leurs enfants et trouvent aliénante l'uniformisation des intérêts à laquelle conduit l'influence des productions télévisuelles. Elles veulent que leurs enfants s'ouvrent à autre chose qu'à l'imaginaire restreint auquel les confine la tendance collective.

L'attitude des parents plus conciliants est tout aussi facilement explicable. Ils peuvent y trouver un intérêt personnel : se soustraire au harcèlement incessant des enfants. Mais ils peuvent tout simplement désirer leur faire plaisir en les laissant donner libre cours à une toquade qui paraît sans conséquence.

Comme c'est souvent le cas en matière d'adaptation, le mieux se trouve en dehors des excès, qu'ils aillent dans un sens ou l'autre. Dès son plus jeune âge, l'enfant est engagé dans une quête d'identité qui mobilise une grande partie de ses énergies. Il veut incarner une réelle valeur, être quelqu'un. Le chemin pour y parvenir est long et laborieux. En attendant, il dispose d'un mécanisme qui lui permet de faire instantanément et sans efforts l'expérience qu'il est quelqu'un d'extraordinaire. Ce mécanisme s'appelle l'*identification*: il lui suffit de se projeter dans un personnage pour dépasser les limites inhérentes à son niveau de développement et devenir capable des plus grands exploits. Le recours à l'identification est un phénomène normal chez tout être humain et plus encore chez les enfants. Ceux-ci ont besoin d'être alimentés en héros aussi bien qu'en nourriture[18]. L'industrie du divertissement pour enfants l'a compris depuis longtemps et tente le plus possible d'en tirer avantage. Mais là s'arrête sa responsabilité. Contrairement à ce que l'on pourrait croire, les concepteurs ne créent pas le besoin: le besoin est déjà là. Et ils ne décident pas de ce que les enfants aimeront: ils essaient de trouver ce qui est susceptible de répondre à leurs attentes et de leur procurer du plaisir.

Périodiquement, l'un d'entre eux frappe dans le mille. Il s'ensuit un engouement collectif dont l'ampleur est décuplée par un second phénomène, qui a l'allure d'une surenchère de la part des enfants et qui est motivé par le besoin de se singulariser aux yeux des autres. À l'intérêt que suscitent les personnages à la mode s'ajoute le désir de l'enfant de se démarquer, que ce soit en ayant la carte la plus rare, l'article le plus cher, etc. Lorsque l'expérience affective particulière à laquelle les héros donnent accès devient répétitive, elle perd de son intérêt et les enfants se tournent vers de nouveaux personnages avec la même

---

18. « Du pain et des jeux », disaient les Romains.

urgence et la même conviction que rien n'a existé avant et que rien n'existera après.

En prenant le parti de se tenir résolument en marge du phénomène à la mode, nous ne causons pas de grands traumatismes à notre enfant, mais nous le privons d'expériences à certains égards bénéfiques, et nous le plaçons inutilement en difficulté face aux autres enfants. Il a besoin de héros et il y a de bonnes chances que ceux qui font l'unanimité aient quelque chose de positif à lui apporter. Par ailleurs, en le marginalisant par rapport aux autres enfants, nous le privons de munitions malheureusement nécessaires pour survivre dans les jungles relationnelles que sont souvent les garderies et les cours d'école.

L'excès inverse peut cependant s'avérer aussi préjudiciable à long terme, sinon plus. L'identification a pour pendant naturel la *réalisation de soi*. Elle est là pour permettre à l'enfant de respirer un peu entre les moments où il s'applique à affirmer sa valeur par le biais d'accomplissements divers et ceux où il s'efforce de développer des liens qui enrichissent sa qualité humaine. Le parent qui se montre trop complaisant face à son enfant risque de voir l'identification prendre toute la place au point de remplacer les réalisations personnelles. L'enfant cède alors à la facilité de maintenir de façon imaginaire l'illusion de sa grandeur au lieu de faire l'effort de l'incarner dans la réalité. Il éprouve ses plus grandes satisfactions quand il regarde les émissions qu'il préfère, et trouve dans l'accumulation d'articles à la mode le principal moyen d'affirmer sa valeur. Quand cette façon de faire devient une façon de vivre, l'enfant a de bonnes chances de devenir un adulte condamné à paraître sans jamais avoir le sentiment d'être vraiment quelqu'un, d'avoir une identité propre.

La position à privilégier consiste à laisser l'enfant participer à la frénésie collective du moment, si consternante soit-elle aux yeux de l'adulte que nous sommes, et à céder à certaines de ses demandes (achats de vêtements, de gadgets, etc.) pour qu'il puisse faire bonne figure face à ses pairs. Il faut cependant veiller à circonscrire la place que cette frénésie occupe dans la vie de l'enfant, de manière qu'elle demeure ce qu'elle doit être : un phénomène marginal dans la marche vers la construction de l'identité.

82 Faut-il interdire aux enfants de regarder des émissions à contenu violent pour prévenir leur propre violence?

Il est peut-être difficile de le croire, mais voir de la violence ne suffit pas à rendre une personne violente. Tout comme regarder des films d'amour ne suffit pas à faire de quelqu'un un être aimant et aimable. L'amour et la haine sont des émotions personnelles issues de nos expériences de vie. On ne peut les ressentir par imitation. Tout ce que la télévision peut faire, c'est induire un mouvement agressif volatil. Ce mouvement est de l'ordre de ce que nous éprouvons lorsque nous voyons le héros d'un film administrer au méchant désigné la correction qu'il mérite après que nous avons enduré avec lui tous les sévices d'usage. Notre aptitude à nous identifier nous conduit à passer par la même gamme d'émotions que les personnages que nous avons devant nous, y compris la violence. Mais celle-ci s'éteint en même temps que l'image sur l'écran.

Il est normal qu'en voyant un enfant s'adonner à des gestes de violence en imitant des personnages télévisés, nous soyons tenté de déduire que c'est l'influence de ces derniers qui lui fait vivre des émotions malsaines. En réalité, c'est le contraire qui se passe. Ce sont les sentiments violents qui animent l'enfant qui l'incitent à réactualiser un contexte propice à leur expression. Il se sert de ce qu'il voit à la télévision pour mettre en scène l'agressivité qu'il porte en lui. S'il était exempt de ces émotions, les émissions qu'il voit n'auraient pas de résonance pour lui. C'est ce qui explique que d'autres enfants, exposés aux mêmes influences, n'y soient pas sensibles.

Il ne faut pas associer trop étroitement l'exposition à la violence et le développement de comportements violents. Un constat clinique étonnant nous en donne une autre indication : les parents qui consultent pour des problèmes de violence chez leur enfant sont en majorité des parents permissifs, qui non seulement ne frappent pas leurs enfants, mais s'élèvent contre ceux qui le font et s'opposent à tout ce qui peut encourager les attitudes guerrières. Pourquoi ces enfants qui ne sont ni objets ni témoins de violence en viennent-ils à recourir à la violence ? Parce que ce qui rend violent, ce n'est pas de voir de la violence — ce qui rend violent, c'est de *souffrir*.

Reprenons l'exemple des parents permissifs. Si leur enfant est sujet à des accès de violence en dépit du fait que rien ne paraît l'y disposer, c'est qu'il fait l'expérience d'une profonde détresse que l'on peut expliquer de la façon suivante : le plus grand désir de l'enfant est d'être reconnu comme quelqu'un qui a une valeur[19]. Laissé à lui-même, il est incapable d'orienter son fonctionnement pour parvenir à développer cette valeur[20]. C'est ce qui se produit lorsque les parents se montrent trop permissifs : l'enfant évolue au gré de ses impulsions et va d'échecs dans ses entreprises en rejets dans ses relations, ce qui crée un état d'insatisfaction générateur d'agressivité. Sa disposition à la violence vient de là.

L'enfant dont le fonctionnement est contaminé par l'agressivité aura tendance à rechercher les situations au cours desquelles il peut donner libre cours à son ressentiment de manière acceptable. C'est ce qui explique sa fascination pour les émissions comportant des scènes de combat et son engouement pour les jeux guerriers qui donnent à sa violence des allures de normalité. La télévision, dans ce contexte, peut être accusée de «récupérer» la violence de l'enfant, mais elle n'en est pas l'instigatrice.

---

19. Voir la question 3.
20. Voir la question 39.

Il ne faut pas conclure de ces remarques qu'il n'est pas grave que les enfants voient de la violence à la télévision. Être exposé à de la violence est une expérience troublante qui peut avoir un effet néfaste sur l'état émotionnel des enfants. Il faut donc être vigilant et tenir ces derniers à l'écart des émissions comportant de la violence. Mais encore faut-il que ce soit de la violence au sens vrai du terme! Ce que les diffuseurs proposent le plus souvent aux enfants ce sont des mises en situation dans lesquelles un héros surmonte des obstacles pour vaincre une incarnation du mal. Les valeurs véhiculées sont de l'ordre du courage et de la droiture. Il n'y a ni sang ni morts. Les méchants s'enfuient ou se volatilisent. Si bien qu'au bout du compte, l'enfant garde une impression d'accomplissement de soi beaucoup plus que de destruction.

Pour qu'une émission télévisée comportant des scènes d'affrontement incite un enfant à la violence, il faut que le développement personnel de l'enfant l'ait prédisposé à la violence. C'est donc sur lui qu'il faut d'abord se questionner. En mettant l'accent sur les réglementations destinées à épurer la télévision de tout ce qui a une allure violente, on risque fort de laisser la proie pour l'ombre. Un enfant est davantage déterminé par ce qu'il *vit* que par ce qu'il *voit*.

Jusqu'à quel point peut-on laisser un enfant décider de sa tenue, de sa coiffure, de son allure? 83

On ne discute pas des goûts et des couleurs», dit-on. Cet adage rend bien compte du dilemme qui se pose aux parents lorsque les choix de leurs enfants leur paraissent discutables. Comment concilier le droit de notre enfant d'user de son libre arbitre et la responsabilité que nous avons de le guider dans ses choix? Les enfants ont droit à leurs préférences et doivent disposer d'une certaine latitude dans les décisions concernant leur tenue. Il faut cependant être conscient qu'ils sont des êtres en quête d'identité, ignorant encore ce qui leur convient vraiment, et dont la plupart des choix sont dictés par les influences auxquelles ils sont exposés plutôt que par leurs goûts personnels.

Il n'y a rien de mal à ce qu'un enfant qui cherche à se définir se réfère aux personnes qui lui servent de modèles pour s'orienter et soit perméable aux modes qui se succèdent dans les milieux qu'il fréquente. Mais il ne doit pas perdre de vue que les modes ne servent qu'à donner un genre à ceux qui n'en ont pas et que son véritable objectif est d'évoluer vers une façon d'être qui reflète ce qu'il est. De ce point de vue, le parent est bien sûr là pour freiner les ardeurs de l'enfant quand les caprices de la mode incitent ce dernier à la démesure (vêtements signés, marques de prestige, etc.). Il est aussi là pour l'empêcher de s'associer à certaines tendances lorsque celles-ci dénotent un manque de jugement, comme c'est le cas lorsqu'il est suggéré aux préadolescentes de porter des tenues à la limite de l'indécence pour ressembler à leur idole du moment. Mais le parent est surtout là pour aider l'enfant à établir la correspondance entre ce qu'il est et l'image qu'il projette autour de lui.

Les enfants sont naturellement portés à miser sur leur allure pour faire la preuve qu'ils sont quelqu'un. Plus ils doutent de leur valeur, plus ils ont tendance à compenser en se singularisant le plus possible par le biais de leur image. La coiffure, les vêtements, les accessoires, tout ce qui peut servir à faire impression est alors mis à contribution. Ce qui oblige souvent à constater qu'en matière d'identité, plus l'accent est mis sur l'apparence extérieure, plus le sentiment intérieur d'identité est fragile.

Il appartient aux parents de faire comprendre à leur enfant qu'il existe une différence entre se mettre *en évidence* et se mettre *en valeur*, que ce n'est pas parce que tout le monde remarque la couleur ou la coupe de ses cheveux qu'il s'en trouve rehaussé pour autant. Les enfants doivent apprendre que les choix qui les servent sont ceux qu'on ne remarque que secondairement, parce qu'ils s'harmonisent si bien avec ce qu'ils sont, que ce qui frappe d'abord, c'est l'impression d'ensemble qu'ils contribuent à rehausser.

Sans nécessairement agir d'autorité, les parents peuvent orienter leur enfant de manière à l'affranchir des influences et à le révéler à lui-même. Leur souci doit être de maintenir un juste équilibre entre le désir qu'a l'enfant de ressembler aux autres et leur volonté de l'amener à se ressembler à lui-même.

Dans un sport collectif, jusqu'à quel point un enfant doit-il s'oublier pour manifester son esprit d'équipe?

« Il est parfois difficile pour un parent dont l'enfant pratique un sport d'équipe de trouver comment veiller à son intérêt sans nuire à celui de l'ensemble dont il fait partie. Surtout lorsqu'on lui répète à satiété que l'individualisme n'a pas sa place dans le groupe et que ce qui compte avant tout, c'est le succès de l'équipe. Dans cette logique poussée à sa limite, un parent peut s'entendre dire, la veille d'une compétition, que son enfant ne jouera pas «pour le bien de l'équipe», mais qu'il se trouvera largement récompensé lorsqu'il reviendra à la maison avec la médaille de la victoire. Il se peut que ce soit le cas, mais une telle attitude chez l'enfant doit être mise en doute. De fait, que l'enfant ressente de la fierté à exhiber le symbole d'un triomphe auquel il n'a pas activement contribué est un indice objectif qu'il est en difficulté.

Bien sûr, l'esprit d'équipe est important. Bien sûr, il faut sensibiliser les enfants à la nécessité de faire passer au second plan les honneurs individuels au profit de l'accomplissement collectif. Mais cela n'est vrai que dans la mesure où l'enfant peut prétendre en être un des rouages. Avoir un bon esprit d'équipe n'est pas s'oublier pour l'équipe, c'est penser à soi d'une autre façon. Au lieu d'affirmer sa compétence seul, on l'articule aux compétences complémentaires des autres en vue de parvenir à des réalisations qui seraient inaccessibles sans cette coopération. C'est grâce à la conscience des possibilités qu'offrent de tels regroupements que les scientifiques sont aujourd'hui capables d'envoyer des navettes dans l'espace.

Travailler en équipe ne veut donc pas dire renoncer à son individualité, mais plutôt mettre ce que l'on a de singulier au service d'une entreprise collective. Et avoir un bon esprit d'équipe ne signifie pas renoncer à se réaliser comme individu, mais plutôt se réaliser sans perdre de vue que l'on fait partie d'un ensemble avec lequel il faut s'harmoniser pour atteindre des objectifs à la fois personnels et collectifs.

Comme parent, nous devons voir à ce que notre enfant tienne compte des gens avec lesquels il fait équipe. Mais nous devons aussi nous assurer que nous tenons compte de lui en lui donnant l'occasion de contribuer significativement aux accomplissements du groupe afin que ceux-ci aient un sens à ses yeux. Nous devons enfin nous méfier de ceux qui utilisent l'intérêt collectif comme prétexte pour satisfaire leurs ambitions personnelles.

Puis-je reprendre mon enfant quand il est sous la responsabilité de quelqu'un d'autre ?

85

La scène se passe pendant un cours de natation. Tous les enfants sont accoudés au bord de la piscine, écoutant les explications données par le maître nageur. Tous, sauf un des garçons, qui s'amuse à mettre sa tête sous l'eau et à faire des éclaboussures sans être rappelé à l'ordre. Sa mère fulmine du haut des gradins mais hésite à intervenir parce qu'il est, à ce moment-là, sous la responsabilité d'une autre personne.

Pour résoudre ce genre de dilemme auquel tous les parents seront confrontés, il faut revenir à l'un des fondements de ce qui constitue l'essence de la condition de parent : la position parentale ne se délègue pas. Le parent confie certains mandats aux personnes qui ont à s'occuper de son enfant, mais il ne se décharge jamais de sa responsabilité à son endroit. Il conserve un droit de regard sur tout ce qui se passe et est pleinement justifié d'intervenir si le cadre à l'intérieur duquel évolue l'enfant est défaillant. Dans l'exemple du cours de natation, le garçon se place dans une situation où il ne se comporte pas comme il le devrait pour réaliser les apprentissages nécessaires à l'actualisation de son potentiel, il offre une image négative de lui-même ; qui plus est, il nuit aux autres enfants. Son attitude est donc triplement préjudiciable et commande que l'on intervienne promptement. Si le maître nageur ne le fait pas, c'est au parent de le faire.

Le parent peut choisir de différer l'intervention et attendre de se retrouver seul avec l'enfant pour le réprimander. Cette attitude est certainement préférable à celle qui ignorerait les écarts de l'enfant sous prétexte qu'il était sous l'autorité de quelqu'un d'autre. Mais elle demeure une solution de compromis. Nous y recourons souvent lorsque nous voulons assumer notre responsabilité en ménageant l'enfant qui vit encore en nous, qui n'a pas envie de se donner en spectacle devant tout le monde, ni d'indisposer, de surcroît, la personne qui se trouve en position d'autorité. Nous pouvons faire le choix de préserver l'enfant qui est en nous, mais il faut savoir que c'est toujours au détriment de l'enfant qui est devant nous. Le mieux est de donner un avertissement ferme à l'enfant, puis, s'il persiste dans son attitude, de le prendre à part et de le réprimander avec plus de sévérité. Une fois l'activité terminée, nous lui montrons que nous n'acceptons pas d'avoir à intervenir de la sorte et que nous ne tolérerons plus ce genre de comportement. S'il récidive, nous interviendrons de la même façon, mais en le punissant au retour à la maison pour l'inciter à se prendre davantage en main. Bien encadré, l'enfant modifiera rapidement son attitude et tirera le meilleur parti des moments où il se trouvera sous la supervision d'un tiers.

Un parent ne devrait jamais trouver normal qu'un tiers ait à discipliner son enfant devant lui, car sa seule présence devrait suffire à inciter l'enfant à se comporter adéquatement. Lorsque ce n'est pas le cas, c'est que la crédibilité de l'autorité parentale se trouve remise en question par l'enfant qui se comporte comme si le parent n'existait plus quand une autre personne le prend en charge. Il est important que l'enfant comprenne que le regard que pose sur lui son père ou sa mère transcende tous les autres et n'est pas transférable à qui que ce soit, de manière à ne pas perdre de vue qu'il continue toujours d'évoluer sous ce regard et d'en dépendre même quand il est sous la responsabilité de quelqu'un d'autre.

Mon enfant a une adolescence difficile. Comment l'empêcher de se soustraire à mon autorité et de mal tourner?

Les transformations qui surviennent à l'adolescence commandent certains ajustements sur le plan de la relation parent-enfant. Le plus déterminant pour l'avenir est le passage qui doit s'effectuer d'une relation de pouvoir à une relation d'autorité.

Pendant les premières années de la vie, la condition de dépendance physique et affective de l'enfant place le parent en position de pouvoir. Ce dernier dispose de moyens pour obliger son enfant à agir selon ses vues, que celui-ci le veuille ou non. L'arrivée de la puberté marque l'amorce d'un virage qui va aller en s'accentuant. Le parent n'est plus le principal interlocuteur affectif de son enfant. La quête émotionnelle de celui-ci se fait sexuée, et le groupe devient sa référence en matière d'identité. De plus, la croissance physique du jeune et l'épanouissement de ses facultés intellectuelles l'affranchissent de sa condition de dépendance fonctionnelle.

Dans le cas d'un développement optimal, une transformation s'effectue, qui permet au parent de continuer à exercer une influence déterminante sur son enfant. Celui-ci n'obéit plus parce qu'il est obligé de le faire (relation de pouvoir), il obéit parce qu'il reconnaît à son parent le droit de lui dire ce qu'il doit faire (relation d'autorité). Si l'opération réussit, le parent continue d'avoir un ascendant positif sur son enfant. Si elle échoue, il voit son autorité s'effriter à mesure que son pouvoir s'amenuise et se trouve confiné à un rôle de spectateur pour les années à venir. Il continuera à souhaiter ce qu'il y a de mieux pour son enfant mais aura peu d'influence sur le cours des choses. C'est la qualité du lien établi au fil des ans qui fait pencher la balance dans un sens ou dans l'autre. Plus la proximité affective a été grande, meilleure est l'écoute de l'enfant. Plus le rapport est demeuré dans un registre utilitaire et formel, moins la résonance intérieure est forte chez l'enfant et plus son cheminement ultérieur risque d'être préoccupant.

Le parent doit mettre à profit les années qui précèdent la puberté pour bâtir le pont intérieur qui le reliera à son enfant lorsque la marche vers l'autonomie de ce dernier le mettra à distance. Il lui faut pour cela aller au-delà des obligations formelles prévues par la loi et assurer avec constance à son enfant une présence à la fois sensible et lucide à ce qu'il vit, de manière à le guider avec affection et discernement. Quand les bouleversements de l'adolescence rendront les rapports plus chaotiques, il lui suffira de garder le cap en continuant à exiger ce qu'il croit être préférable et en utilisant les moyens dont il dispose pour parvenir à l'imposer, jusqu'à ce que le parent intérieur de l'enfant soit suffisamment développé pour prendre le relais. L'enfant va s'opposer, se rebeller, se faire confrontant, mais sans remettre en question le lien fondamental qui l'unit à son parent et autorise celui-ci à s'imposer dans sa vie.

Comment me situer entre ma fille qui tient à porter ses cheveux verts et l'école qui lui refuse ce droit ?

Dans ce genre de débat, les parents ont tendance à prendre parti pour leur enfant et à mettre en cause la rigidité de l'établissement scolaire : « Mon enfant ne fait de tort à personne ! Il a droit à ses préférences. L'en empêcher, c'est se montrer répressif… » Le verdict paraît sans appel, il repose pourtant sur une argumentation qui ne résiste pas à l'analyse.

Quand la façon d'être ou l'apparence d'un élève est suffisamment singulière pour avoir un effet déstabilisateur sur ses camarades, cet élève cause à ceux-ci un certain préjudice. Ce préjudice est manifeste dans le contexte scolaire, où le maintien d'un équilibre émotionnel propice aux apprentissages est un défi quotidien pour le personnel enseignant. Peu de gens jugeraient abusif qu'un élève soit renvoyé chez lui après s'être présenté nu à l'école parce qu'il trouvait ses vêtements gênants. Le caractère inconvenant de l'initiative s'imposerait d'emblée. Le problème est moins évident quand la provocation est moins excessive. C'est pourtant le même phénomène. Lorsqu'il y a altération significative du climat émotionnel ambiant, la même réserve devrait s'appliquer. Dans cet esprit, le recours à certaines restrictions peut trouver sa justification.

On peut faire valoir que ce n'est pas la faute de l'élève si ses goûts font réagir. Rien n'est moins sûr. L'apparence que l'on adopte est toujours fonction du type de regard que l'on veut attirer. Le choix de l'excentricité signe le besoin d'être vu à tout prix. Celui de l'anticonformisme indique le besoin de faire réagir à tout prix : on ne veut pas seulement être vu, on veut voir un malaise dans les yeux de ceux qui regardent. L'élève dont il est question ici ne souhaite pas seulement être vue, elle veut observer un malaise dans le regard de ceux qui l'entourent. Ce n'est pas la couleur différente de ses cheveux qu'elle aime, c'est ce que cette couleur va provoquer sur son entourage. Elle aime le regard que les gens qu'elle croise portent sur elle et elle tire une satisfaction de la gêne qu'elle suscite ; il s'agit d'une quête agressive qui vise autant à exprimer du ressentiment qu'à affirmer son existence.

La question autour de laquelle doivent graviter les réflexions du parent n'est pas «Pourquoi l'école refuse-t-elle à mon enfant l'autorisation de porter les cheveux verts ?» mais plutôt «Pourquoi mon enfant tient-elle tellement à avoir les cheveux verts ?» Ce déplacement de perspective permettra au parent d'aborder la réalité sous un autre angle. Il pourra notamment se rendre compte que ce qu'il prenait pour un affranchissement salutaire face aux conventions et une manifestation d'indépendance d'esprit traduit, au contraire, une grande dépendance, un besoin criant d'être au cœur des regards.

Si, une fois devenu conscient des implications réelles de cette fantaisie apparemment sans conséquence, le parent prend le parti de s'opposer lui-même au dessein de son enfant, il pourra mesurer l'ampleur de la violence émotionnelle qui se dissimulait derrière ce qu'il prenait pour une «simple affaire de goût». Quand le parent fait résolument face à son enfant plutôt que de se tenir à côté de lui ou à distance, il court le risque de canaliser sur lui-même le ressentiment que l'enfant éprouve à l'égard du monde. Mais c'est seulement en adoptant une telle position – lui faire face plutôt que de rester à côté – qu'il pourra poser sur son enfant le regard dont celui-ci a besoin pour exprimer son ressentiment et n'être plus dominé par lui au point de devoir recourir à des tenues provocantes.

Quel plaisir les jeunes trouvent-ils à se rassembler au coin d'une rue pour ne rien faire?

Qui n'a pas eu l'occasion de croiser un de ces groupes de jeunes, rassemblés autour de deux ou trois *skateboards,* ou planches à roulettes, à une intersection de leur quartier? Ils se retrouvent jour après jour au même endroit, et y demeurent de longues heures, affairés à l'on ne sait trop quoi. Sitôt libérés de leurs obligations scolaires ou familiales, ils se dirigent vers leur lieu de ralliement, qu'ils ne délaissent que par temps froid pour migrer massivement vers la chaleur d'un centre commercial, de quelque maison des jeunes ou de loisirs. Le phénomène est courant, mais l'on n'en fait pas trop de cas parce qu'on l'associe spontanément au mouvement naturel d'émancipation qui conduit les adolescents à s'éloigner de leurs parents pour se tourner vers le groupe d'amis. Il est vrai que l'importance des amis augmente au fil du développement, mais pas au point de créer une condition de dépendance qui conduit à perpétuer ces attroupements stériles. Avoir des amis ne doit pas vouloir dire que l'on renonce à affirmer sa singularité en marge du groupe et à réaliser son potentiel. Avoir des amis ne doit pas non plus signifier que l'on tire un trait sur sa relation avec les interlocuteurs significatifs privilégiés que sont les parents.

Lorsque l'appartenance au groupe devient une fin en soi plutôt qu'une occasion de vivre des expériences enrichissantes, il y a lieu de s'interroger sur la condition affective de ses membres. L'enfant qui est mû par l'urgence d'aller rejoindre ses amis, sans autre but que de se retrouver au milieu d'eux, cherche à combler un vide qui trahit la situation de carence dans laquelle il se trouve.

Le spectacle que nous avons sous les yeux quand nous observons un groupe de jeunes apparemment oisifs se compare, d'une certaine manière, à celui qu'offre un troupeau dans un pâturage. À première vue, les animaux ont l'air de ne rien faire de particulier. Pourtant, ils sont occupés à se nourrir. De la même façon, les jeunes ont l'air de ne rien faire alors qu'ils sont eux aussi occupés à se nourrir – mais sur le plan affectif. Ils cherchent à faire reconnaître par leurs pairs une valeur qui ne leur est pas reconnue à la maison. Mais comme ils se regroupent précisément parce qu'ils ont des carences, ils ont peu à se donner mutuellement. En fait, être ensemble leur procure l'illusion qu'ils sont quelqu'un, ce qui préfigure une vie future dans laquelle ils vivront par procuration, à travers les accomplissements des autres et sans jamais se réaliser eux-mêmes.

Il faut éviter de cautionner trop facilement le surinvestissement des amis, surtout lorsqu'il s'inscrit dans le contexte d'un désœuvrement collectif. Il n'est pas vrai que l'entrée dans l'adolescence marque une rupture avec le monde adulte. Pas plus qu'elle ne conduit à un abrutissement des individus, comme le suggèrent certaines caricatures qui en sont faites. Les jeunes dont la plus grande aspiration semble être de se retrouver au milieu de leurs amis ne sont pas des adolescents normaux, mais des adolescents en difficulté, même s'ils représentent plus souvent la règle que l'exception. Une adolescence saine est une adolescence durant laquelle on s'embarque à fond dans les expériences que permettent de faire les amis sans perdre de vue le phare que constituent les parents dans la marche vers l'acquisition d'une identité propre.

Nos enfants peuvent-ils se détériorer au point d'avoir des gestes meurtriers sans que l'on puisse l'anticiper ?

Il y a deux façons d'élever un enfant. On peut l'élever de l'extérieur et on peut l'élever de l'intérieur. Il existe des parents pour qui l'éducation se résume à bien s'occuper de leur enfant. Ils voient à ce qu'il ne manque de rien, supervisent son travail scolaire, le rappellent à l'ordre lorsqu'il se comporte mal, soulignent les événements importants, etc. Ils ont toutes les apparences de bons parents et le sont effectivement dans une certaine mesure. Mais une grande partie de ce que leur enfant vit leur échappe. Ils sont à l'écoute de ce qu'il *fait* mais pas de ce qu'il *est*.

Aussi préoccupés soient-ils par le bien-être de leur enfant, leur relation avec lui demeure superficielle. Ils n'ont pas accès à son univers intérieur. Et ils ne le déterminent pas non plus. Car pour déterminer l'expérience intime d'un enfant, il faut commencer par y être sensible. Ils s'affairent autour de lui, préparent ses repas, le conduisent à la garderie, l'y reprennent, achètent le costume pour la fête du lendemain, lui font faire sa toilette. Mais ils ne se demandent pas comment il vit les choses, quelle est la résonance intérieure de ses expériences quotidiennes. Les enfants élevés de cette façon éprouvent un sentiment de solitude intérieure en dépit des attentions dont ils sont l'objet. Ils se tournent alors vers leurs amis pour accéder à l'intimité affective qui leur manque. Mais c'est rarement une bonne chose, car les enfants ont peu à se donner entre eux, chacun étant largement centré sur sa quête personnelle. Ils établissent leurs liens sur la base de leurs insatisfactions respectives auxquelles ils cherchent à donner une expression commune, ce qui peut conduire à des dérapages de toutes sortes dont les manifestations extrêmes sont le pacte de suicide et le passage à l'acte meurtrier.

À l'annonce des gestes faits par leurs enfants, les parents ont une réaction d'incrédulité comparable à celle des voisins consternés à l'issue d'un drame survenu près de chez eux, dont on nous présente régulièrement le témoignage aux informations télévisées. On retrouve alors invariablement des commentaires selon lesquels «rien ne laissait présager un tel dénouement», «c'étaient des gens sans histoire», etc. L'étonnement de ces proches vient de leur méconnaissance de l'écart qui existe entre connaître quelqu'un de l'extérieur, socialement par exemple, et le connaître intimement. Ce que vivent certains parents est essentiellement du même ordre. Et quand ils affirment n'avoir rien vu venir malgré leur vigilance constante, il faut en conclure non pas qu'il était impossible de voir, mais plutôt qu'ils ont mal regardé.

On ne peut pas toujours savoir ce que pensent les enfants, mais on peut toujours savoir dans quel état ils se trouvent. C'est sur cette base que s'établit la véritable intimité entre un parent et son enfant. Ce dernier paraît triste, préoccupé, pressé, nerveux, inquiet, indisposé, agressif, excité, euphorique? Le parent doit faire en sorte de savoir ce qui se passe, en insistant s'il le faut. Être un parent c'est s'arrimer à l'expérience de son enfant de manière à être aussi près de ce qu'il vit qu'on l'est de son propre vécu.

Le parent qui va au-delà de ce que son enfant lui dit pour être à l'écoute de ce qu'il est risque peu de le découvrir sous un jour qu'il ne connaissait pas. Mais surtout, il se place en position d'agir sur lui de l'intérieur. En identifiant les déceptions, les manques, les peurs, les souffrances, les ressentiments vécus à la garderie, à l'école, dans la rue ou à la maison, il est à même d'intervenir pour limiter les dommages émotionnels et empêcher une détérioration susceptible de conduire aux types d'excès qui défraient les manchettes.

Quelle attitude adopter face aux comportements que l'on désapprouve sans pouvoir les empêcher?

Lorsque l'enfant arrive à l'adolescence, il devient difficile de contrôler ses faits et gestes. Étant plus autonome, il dispose davantage de latitude pour agir comme bon lui semble. Nous pouvons lui interdire de consommer de la drogue ou d'avoir des relations sexuelles précoces; rien ne l'empêchera de le faire à notre insu. Et même si nous l'apprenons, le problème reste entier. Nous pouvons nous insurger, sanctionner, rien ne nous assure qu'il ne va pas continuer. Que faire lorsque nous sommes placé devant l'évidence que tel est le cas?

Confrontés à ce problème, certains parents se résignent à laisser leur jeune agir à sa guise. Ils continuent à désapprouver son comportement mais renoncent à le lui interdire. Leur raisonnement est le suivant: «Si nous ne pouvons le dissuader de faire ce qu'il fait, aussi bien nous organiser pour qu'il le fasse dans les meilleures conditions possibles.» Lui permettre de sortir de la clandestinité leur donne l'occasion de mieux veiller sur sa sécurité et sur sa santé. C'est une option qui vaut d'être considérée. Mais il faut avoir conscience que préserver le bien-être physique de notre enfant peut se faire au détriment de son bien-être intérieur.

Le parent occupe un espace important dans l'esprit de son enfant. Il est la conscience qui lui manque, dont celui-ci a besoin pour faire contrepoids à son impulsivité. L'enfant s'y réfère pendant que se développe son propre témoin intérieur[21]. C'est à travers le regard du parent qu'il peut voir et comprendre ce qui est préférable pour lui. Même au plus fort des bouleversements de l'adolescence, le parent doit main-

---

21. Voir la question 29.

tenir le cap pour permettre au jeune de conserver un repère crédible dans la réalité. Renoncer à orienter notre enfant vers ce que nous estimons être le mieux pour lui équivaut à nous désengager comme parent. Dans ce cas, nous n'aurons plus la même résonance à l'intérieur de lui parce que nous devenons spectateur de ses luttes internes au lieu d'en être l'un des acteurs. Aussi attentionné et concerné que nous puissions être, l'enfant nous perçoit alors comme extérieur à lui, de la même façon qu'un ami. Il s'ensuit un éloignement relationnel conduisant à un sentiment de solitude.

Le contraire se produit lorsque nous prenons le parti de persévérer dans nos exigences et de continuer à sévir quand nous nous rendons compte qu'elles ne sont pas respectées. Le message que nous adressons alors à notre enfant est celui-ci : « Il y a quelqu'un à l'intérieur de toi qui vaut la peine que l'on prenne soin de lui, et je vais faire tout ce qui est en mon pouvoir pour t'empêcher de lui faire du tort. » Cette attitude ne dissuadera peut-être pas l'adolescent de récidiver, mais elle aura pour effet de tenir en éveil la partie saine de lui-même en favorisant l'établissement d'un dialogue intérieur qui se poursuivra en notre absence. Où qu'il aille, le jeune ne pourra pas échapper à son propre regard sur lui-même rendu plus insistant par l'appui qu'il trouve dans la conviction du parent. Il en résultera un malaise propice à d'éventuelles remises en question. Cela donne à penser qu'en dépit des apparences, un jeune consommant de la drogue dans un coin isolé pourrait se sentir moins seul qu'un autre le faisant chez lui à proximité de ses parents.

Dans cet esprit, s'il n'est pas souhaitable que les enfants mentent à leurs parents, le fait qu'ils le fassent ne devrait pas être considéré comme quelque chose de complètement négatif. Il est vrai que l'enfant qui ment « brise le lien de confiance que nous avons avec lui », comme le font remarquer certains parents. Mais le mensonge est une avenue tentante pour quiconque veut sortir d'une impasse. Il est compréhensible que les enfants cèdent à la facilité d'y avoir recours. On peut leur en tenir rigueur, mais sans perdre de vue l'essentiel : l'enfant qui ment signifie à son parent qu'il accorde de l'importance à ses réactions. Tant que c'est le cas, être un parent conserve son sens.

CONCLUSION

QUAND CESSE-T-ON D'ÊTRE UN PARENT ?

Lorsque l'on devient parent, c'est pour la vie, dit-on. Ceux qui l'affirment n'ont pas tort. Mais contrairement à ce que l'on pourrait croire, s'il en est ainsi, ce n'est pas tant parce que nous ne sommes pas capable de voir notre enfant autrement que comme un enfant que parce que lui-même n'est pas capable de nous voir autrement que comme un parent. Son regard est un appel, dont nous ressentons l'urgence du jour où il lève les yeux sur nous à celui où nous les refermons sur lui.

C'est dans les yeux de l'enfant que nous nous découvrons parent. L'enfant se propose à notre sensibilité avec toute sa vulnérabilité et toute sa confiance, éveillant en nous un fort sentiment de responsabilité empreint d'une grande tendresse. À partir de là, une partie de notre travail consiste à faire grandir en lui son propre parent intérieur afin qu'il ait en permanence accès à ce regard tendre et responsable sur lui-même, même lorsqu'il aura pris en main sa destinée. Nous y parvenons en le traitant avec considération et affection, tout en l'aidant à développer sa propre capacité de jugement. Une fois ce témoin intérieur arrivé à maturité, nous devons nous désarrimer du vécu quotidien de notre enfant pour lui laisser les commandes. Concrètement, cela signifie que bien que nous soyons toujours concerné par ce qu'il vit, nous ne pouvons plus le déterminer. La tendresse demeure, mais la responsabilité change de mains, ce qui enlève beaucoup de la lourdeur qu'il y a à être parent et permet habituellement d'aborder la suite des choses avec plus de sérénité.

Tous les parents ne vivent pas bien cette transition. Certains continuent à s'ingérer dans la vie de leur enfant, cherchant à la contrôler longtemps après qu'il a atteint l'âge adulte. En dépit des apparences, ce n'est pas le bien-être de l'enfant qui est alors au centre de leurs préoccupations. Lorsqu'un parent persiste à tenir une position devenue anachronique, c'est généralement pour assurer sa propre survie intérieure. Il se peut, par exemple, que devenir parent ait permis à cette personne de donner du sens à sa vie qui en était dénuée jusque-là ; aussi tente-t-elle de différer le moment où elle sera de nouveau placée devant le vide de son existence.

Il demeure que même dans le cas où le transfert de responsabilité s'opère bien, il reste relatif. Un parent n'est jamais complètement libéré par ses enfants de son engagement originel. Même lorsqu'il se trouve diminué, c'est dans son regard qu'ils cherchent appui. Et tant qu'il est vivant, son cœur est un refuge pour leur détresse. Un véritable parent le demeure jusqu'à l'heure de sa mort. Son dernier regard sera pour signifier à son enfant, qui l'implore des yeux de ne pas l'abandonner, qu'il est désolé de lui faire défection. L'enfant qui a vu ce regard ne se demande plus s'il a été suffisamment aimé. Il se demande s'il saura aimer autant.

PARENTS AUJOURD'HUI

Dans la même collection

Développez l'estime de soi de votre enfant, Carl Pickhardt, 2001

Interprétez les rêves de votre enfant, Laurent Lachance, 2001

L'enfant en colère, Tim Murphy en collaboration avec Loriann Hoff Oberlin, 2002

L'enfant dictateur, Fred G. Gosman, 2002

Ces enfants que l'on veut parfaits, Dr Elisabeth Guthrie et Kathy Matthews, 2002

L'enfant souffre-douleur, Maria G. R. Robichaud, 2003

Parent responsable, enfant équilibré, François Dumesnil, 2003

Éduquer sans punir, Dr Thomas Gordon, 2003

Des enfants, en avoir ou pas, Pascale Pontoreau, 2003

Ces enfants qui remettent tout à demain, Rita Emmett, 2003

Voyage dans les centres de la petite enfance, Diane Daniel, 2003

Mon ado me rend fou !, Michael J. Bradley, 2004

TABLE DES MATIÈRES

Deuxième partie – L'enfant, sa personnalité, son développement

Troisième partie – L'enfant, ses problèmes et ceux qu'il pose aux autres

Quatrième partie – L'enfant, sa famille et la société

Conclusion

Achevé d'imprimer au Canada
en janvier 2004
sur les presses des Imprimeries Transcontinental Inc.